Het vergeten gezicht

Elle van Rijn

Het vergeten gezicht

Anthos|Amsterdam

Mixed Sources

Productgroep uit goed beheerde bossen
en andere gecontroleerde bronnen.
www.fsc.org Cert no. CU-COC-803902
© 1996 Forest Stewardship Council

ISBN 978 90 414 1557 8
© 2010 Elle van Rijn
Omslagontwerp Marry van Baar
Omslagillustratie © Susan Fox/Trevillion Images
Foto auteur Mike Bloem

Verspreiding voor België:
Veen Bosch & Keuning uitgevers n.v., Wommelgem

Voor mijn jongste dochter,
die in mij tot leven kwam.

Vroeger, lang voor ik geboren werd, reden er trams door dit gedeelte van de stad. Ze werden getrokken door paarden. De straten hadden andere namen. Op de uithangborden prijkten andere teksten. Ze waren onverlicht. Honderd jaar geleden liepen er meer mensen op de weg dan op de stoep. Die wande laars zijn nu allemaal dood. Dat is logisch. Honderd jaar geleden.

Ik herinner me nauwelijks wat er gisteren is gebeurd. Laat staan dat ik kan terugdenken in maanden, jaren, eeuwen. Daarvoor dienen afbeeldingen. Dat is genoeg. Het heden is de enige ruimte waarin we ons kunnen bewegen. Is daarom het verleden niet totaal irrelevant? Lijkt mij wel.

Ik kijk naar de wuivende bomen en mijn hart begint luid te kloppen. Om een vaag gevoel van ooit, ergens ver weg.

Het is een futiliteit. Ik ben gelukkig. Mijn naam is Monika Schleich. Ik ben getrouwd en heb een dochter.

Mijn man roept me. We gaan eten. Ik zal mijn laptop afsluiten. Ik sla niets op. Dat doe ik nooit.

'Mag ik misschien weten waar dit gesprek over gaat?' De deur stond open. Ik kwam langs om foto's te laten zien. Redelijk mooie, voor zo'n saai onderwerp. Maar dat is niet mijn verdienste. Ik had een fotograaf ingehuurd. Afijn, ik stond daar dus in de deuropening en vroeg waar het gesprek over ging. Ik hoorde ze smoezen. Zij, de interim, vervangend, tijdelijk, adjunct, *you name it*-hoofdredacteur en hij, de hoofdredacteur zelf. Haar keurige kapsel-kop schiet in aanvalspositie. Het vlezige hoofd van mijn baas richt zich tergend langzaam op. Zijn kleine, in dikke vleeskussens verzonken ogen zien mij staan. 'Ja, sorry hoor.' Shit, ik laat me toch weer intimideren. 'Ik hoor steeds: Lizzy dit, Lizzy dat, maar jullie kunnen toch ook rechtstreeks tegen mij zeggen wat er aan de hand is.' Bij de 'a' van 'hand' maakt mijn stem een uitschieter naar boven en daarna weer naar beneden. Alsof mijn stembanden zich aan het opwarmen zijn voor het volgende adagio. De zware inademing van mijn baas sleurt me bijna mee zijn neusgaten in. De speekseldraden tussen zijn lippen worden steeds langer als hij zijn mond langzaam opent. Ik zet me schrap. Bernice grijpt in. Zoals gewoonlijk.

'Luister, Lizzy, we hebben het inderdaad over jou. Je stuk is nog niet af en dat is echt een probleem.'

Rustig blijven nu. 'Bernice, Herman, luister. Ik heb jullie uitgelegd dat mijn koffer niet is meegekomen uit Londen. Dus ik kan wel een hoop nonsens uit mijn duim gaan zuigen over de implementatie van het nieuwe internationale werkgelegenheidsbeleid, maar daar zitten jullie ook niet echt op te wachten.'

'Lizzy, het spijt me, maar we hebben een deadline. Je hebt toch genoeg gegevens op je harde schijf?' Bernice, altijd haar eigen, onberispelijke zelf.

'Bernice, kom op! Jij beweert toch altijd dat *Job-hop* geen populair blaadje is, maar een inhoudelijk tijdschrift?' Bernice haalt adem. Ongetwijfeld om weer een perfect gearticuleerde zin uit te stoten. Herman is haar voor.

'Potverdomme, Lizzy. Je zorgt vanmiddag nog voor een artikel en anders kun je opstappen. Ik heb geen zin om me in mijn eigen kantoor te laten piepelen.' Ik kan het niet meer. Hem nog langer aankijken. Dat blotebillengezicht met die bewegende lippen. Nat en rood. Als ongebakken saucijzen. Ik knik en loop weg.

Negen jaar werk ik nu bij dit tijdschriftenimperium. De enige reden waarom ik ooit de journalistiek in wilde is dat ik geïnteresseerd ben in mensen. Iedereen uithoren onder het mom van een stukje schrijven, leek me de ideale baan. Maar ergens ben ik een verkeerd pad ingeslagen, in deze doolhof van bladenmakers. Ik kwam terecht bij een glossy met het niveau van een roddelblad. Drie jaar heb ik het er volgehouden, waarbij ik steeds minder te vragen wist aan bekend Nederland. Dus wat was ik blij toen ik gevraagd werd voor een nieuw project over mensen en hun loopbaan. Over werk zoeken en werk aanbieden. Een tijdschrift én internetsite die de Funda voor de banenmarkt moesten gaan vormen. Om dit innovatieve concept inhoud te geven en wat dynamiek, zou ik de kans krijgen om mooie portretten te maken van de mens achter zijn functie. Ik mocht me vastbijten in zowel het leed als het succes dat veroorzaakt wordt door een carrière. Het was best interessant in het begin, maar de commerciële ambitie van Herman was zo groot dat het persoonlijke verhaal al snel in het gedrang kwam en plaats moest maken voor nog meer netwerk-*opportunities*, *quick-deals*, werving en selectie, *human research, paying members* en *high interest rates*. Tja, op een zeker niveau praat je niet meer in Hollandse termen. *Booming business*. Toen hij Bernice had aangetrokken, was de lol er helemaal af. Zij wist tussen mij en mijn drie mannelijke collega's zo'n wig te drijven, dat er van de sfeer niets meer over is ('Lizzy, jij probeert altijd de interessante stukken ertussenuit te pikken. Rob zegt dat je er vaak moe uitziet en dat je steken laat vallen. Jan-Maarten gaat vreemd met iemand van *Dreaming* – ook een blad uit ons concern, over, hoe origineel, dromen – zo sneu voor zijn zwangere vrouw... En tegen Bart – je mag het niet verder vertellen – loopt een onderzoek. Hij downloadt illegale software, steelt potloden en gummen. Ssst.')

Ik ga achter mijn bureau zitten en realiseer me dat ik de foto's van de inspirerende jonge jobhoppers uit Londen helemaal niet heb laten zien. Mooie mensen. Vol ambitie en een rooskleurig toekomstbeeld. Zoals ik zelf een paar jaar geleden. Ik schuif de plaatjes opzij.

Om halfzes heb ik een stuk uit de pc gerammeld dat qua saaiheid niet onderdoet voor de gebruiksaanwijzing van mijn nieuwe stofzuiger. Het erge is dat het me niets kan schelen. Natuurlijk had ik, als ik had kunnen wachten op mijn koffer met daarin de aantekeningen, tapes en tekeningetjes, er een veelkleurig stuk van kunnen maken. Maar de deadline stond en mijn baan verliezen kan ik me op dit moment niet permitteren. Ik ben net mijn vriend kwijt, dat is voorlopig genoeg verlies.

Even: hij heette Rafik, een erg exotische naam voor een Hollandse jongen. Maar zo hadden zijn ouders hem nu eenmaal genoemd. Hoewel ik in de verleden tijd over hem spreek, heb ik hem niet verloren aan de dood, maar aan een ander. Een andere vrouw. (Had een man het erger gemaakt? Ik denk het niet.) Zij heet Wei Tan. En is écht exotisch. Dus. Ze studeert Nederlands aan de Vrije Universiteit. En daar geeft hij les. Hij had haar bij de hand genomen en haar rondgeleid door het boeiende landschap van de Nederlandse taal. Nog een paar jaar en dan zou ze zijn gedichten kunnen gaan vertalen, in het Mandarijn. Daar zaten die twaalfhonderd miljoen Chinezen echt op te wachten. Op de gedichten van Rafik van de Wijdeven. Ja, ze hadden wilde plannen, die twee. En daar paste ik duidelijk niet meer in. 'Lizzy, are you from England?'

'No.'

'The USA?'

'No.'

'I thought so, because of your name.'

'Actually, my name is Elizabeth.'

'How interesting!'

'Yes. And you are from Japan?'

'No! No!'

'O, I'm so sorry, jullie lijken allemaal zo op elkaar. Ik ga maar over op het Nederlands want dat ben je toch aan het leren hè?'

'Hu, what, niet so schnell. Rafik, can you help mij?'

'Ja natuurlijk kan hij je helpen, hè Rafik? Dat is zijn nieuwe levensinvulling: jou helpen.'

Je eerst jaren laten helpen door mij, jij zielige, in je jeugd mishandelde, miskende intellectueel. En nu haar helpen. Misschien was ik degene die nu eens geholpen wilde worden, en niet alleen maar met tips en tops. Met wetenschappelijk geneuzel. Feiten over niks.

'O, dus jij kunt wél praten? Mooi, mooi, ja dat is erg mooi.'

'Lizzy, ik waarschuw je.'

'Waarvoor, Rafik? Ben je bang dat je kleine Chineesje begint te huilen als ik doorga? Misschien moet je dan een beetje opschieten met die verhuisdozen van je en opsodemieteren naar je nieuwe woonunit, op hip en exotisch Borneo-eiland. Schiet op! Rot op!'

Ik leg het uitgeprinte stuk samen met de foto's op het bureau van Herman. Hij is er niet meer. Zijn geur hangt er nog wel. Als vettige rook. Iemand die dat ruikt gelooft nooit meer dat mannelijk zweet opwindend kan zijn. Snel weg uit zijn territorium. Plotseling staat Bernice achter me. 'Ik heb je vanmiddag de hand boven het hoofd gehouden, Lizzy. Maar ik wil je er op attenderen dat dit de laatste keer was. Herman heeft zijn buik vol van jouw uitvluchten en smoesjes.' Ze laat een stilte vallen. Zou ik iets moeten zeggen? Gelukkig, ze kakelt weer door. 'Er is altijd een ander verhaal waardoor je niet kunt leveren: je huis overstroomd, je kat gestorven, je relatie uit en nu weer je koffer gestolen. Het houdt een keer op.' Weer die stilte. Nu moet ik toch echt reageren. Ik knik schuldbewust en staar naar haar dikke enkels in de vleeskleurige panty. Hoe oud zou ze zijn? Ergens tussen de veertig en de zestig. 'Lizzy, heb je me gehoord?' Mijn blik schiet omhoog naar haar dichtgeplamuurde gezicht. Precies dezelfde kleur als haar panty.

'Ja, ja natuurlijk, Bernice. Ik begrijp het volkomen. En het spijt me oprecht. Hier is het stuk, ik hoop dat jullie er tevreden over zijn.'

'Dat hoop ik ook. Morgen zullen we het bespreken.'

'Prima. Nou, dan wens ik je nog een fijne avond.'

'Insgelijks.'

Ik loop haar voorbij. Bedenk me in het gat van de deur. 'Bernice, hoe oud ben jij eigenlijk?'

Ze kijkt me aan. Mijn glimlach doet mijn wangen kraken. Aardig kijken en wachten op de ultieme wedervraag.

'Wat denk je, Lizzy?'

'Nou, om eerlijk te zijn denk ik dat je er wat jonger uitziet dan je leeftijdgenoten. Dus eh, zesenvijftig?'

'Vierenveertig!'

Het kwam door de kat. Dat had ze niet moeten zeggen. Oké, die overstroming was een smoes. Maar toen Zwartje net dood was, kon ik écht twee dagen niet werken. Ik had die kat al vanaf mijn veertiende. Hij was geboren op de boerderij van mijn ouders. Hij had alle stukgelopen relaties, alle leeggebloede vriendschappen, alle verkankerde familieleden en fatale ongelukken overleefd. Hij leek onverwoestbaar en voor altijd. Maar toen werd hij op een ochtend gewoon niet meer wakker. Ik vond het zo zielig, zoals hij daar lag, stijf opgerold op zijn kussen. Ik ben naast hem gaan liggen en heb me om hem heen gekruld. Rafik gaf me een paar aaitjes en ging naar de universiteit. Ik vroeg me af of hij doorhad dat ik het was en niet de kat. Toen hij die middag terugkwam, lag ik nog steeds zo. Mijn zwarte, gelukbrengende kater had me verlaten. Ik durfde niet meer te bewegen, bang voor het onheil dat komen zou.

Vijf weken later kondigde Rafik aan dat het voorbij was tussen ons. In elk geval wat hem betrof. Ik ben toen weer twee dagen niet naar mijn werk gegaan. Misschien had ik me na een dag wel kunnen hernemen, een beetje koud water in mijn gezicht en bij zinnen komen, maar ik bleef gewoon liggen. Uit een algemeen protest tegen het leven. Of zoiets.

En nu is mijn koffer dus niet aangekomen op Schiphol. Ook dat is geen smoes. Alleen die overstroming. Tsss. Een klein leugentje om bestwil en de hele wereld valt over je heen.

Ik trek de deur van mijn woonkamer open. De lentezon valt de gang in. Thuis. De lege plekken op de muur worden haarscherp uitgelicht. Dikke stofvlokken hebben zich verzameld op de plek waar het bankstel stond. De ramen zijn ondanks het heldere licht troebel. Al zeker twee jaar niet gewassen. De glazenwasser is nooit meer komen opdagen. God mag weten waarom niet.

Hoe komt het dat je soms het gevoel hebt in een leven te zijn beland waar je nooit voor gekozen hebt? Een oud huis dat zichzelf afbreekt, te veel vriendinnen met brullende baby's, een onbetrouwbare vriend, een vervelende baan. Ik bedoel, dat had toch ook allemaal anders gekund? Maar ik heb dit blijkbaar zelf gecreëerd.

Vanaf het keukenblok komt de zure lucht van bedorven voedsel me tegemoet. Wat zou het zijn? Ik loop naar het aanrecht en kijk in de pan met wokgroenten met kip. Dat moet van vijf, nee zes dagen geleden zijn.

Gisteravond ben ik teruggekomen uit Londen, waar dit jaar het internationale congres over de banenmarkt gehouden werd. Iedereen weet wat dat betekent: vijf dagen feesten, met het idee dat je weer in je studententijd bent beland.

Vorig jaar vond het congres plaats in München. Ik heb toen naam gemaakt door een man te redden van de verdrinkingsdood in de jacuzzi van zijn hotelkamer. Op zich was mijn reddingsactie niet zo bijzonder. Ik stond mijn tanden te poetsen in de badkamer toen ik een klein straaltje water langs de muur naar beneden zag lopen. Meteen belde ik de receptie, maar er nam niemand op. Zonder aarzelen rende ik in mijn onderbroek en hemdje naar boven. De deur van de kamer stond op een kier. In het overstromende bad dreef een brede behaarde rug. Ik draaide de kraan uit, trok de stop omhoog en hief het kale hoofd, dat aan de rug vastzat, naar achteren. Het lukte me niet om het logge lijf uit bad te slepen. Met het bewusteloze natte hoofd in mijn handen ben ik heel hard gaan gillen. Dat hielp. Al snel kwamen er hotelgasten en personeelsleden de kamer binnengerend. Met z'n allen hebben we de man op de glibberige badkamervloer gelegd. Een walvis op het droge. Terwijl ik op zijn buik drukte, gaf iemand met een EHBO-diploma hem mond-op-mondbeademing. Toen de ambulancebroeders en de mediaverslaggevers binnenkwamen, hadden wij hem al aan de praat gekregen. Dit incident zou nooit enig spoor hebben achtergelaten als de drenkeling niet de beroemde schlagerzanger was geweest die op de slotavond van het congres had opgetreden. De volgende dag stond ik in mijn ondergoed op de voorpagina van de Duitse *Bild*. Het onderschrift luidde: 'Nederlandse Elizabeth Koster redt onze Helmut!'

Ik heb nog minimaal een halfjaar geteerd op het gevoel een held te zijn. En stiekem had ik erop gehoopt dat mensen zich mij zouden herinneren, dit jaar in Londen. Maar er was maar één iemand die naar mij toe kwam met de woorden: 'Als ik nu in bad ga liggen, kom jij me dan zo redden?' Ik ben er niet op ingegaan. Elk voorgaand jaar heb ik gedacht: jammer dat ik niet vrijgezel ben. Nu was ik vrijgezel en deed ik er niks mee. Met mijn koffer vol stinkende uitgaanskleren, volgeschreven notebooks en folders nam ik het vliegtuig terug naar huis. De koffer verloor ik ergens tussen Heathrow en Schiphol. De bagage in mijn hoofd, die ik graag had willen verliezen, hield ik bij me.

Bij de *lost luggage*-desk was het aanschuiven. Een lange rij van eveneens gedupeerde reizigers stond ongeduldig voor mij. Toen ik eindelijk aan de beurt was, werd me op routinematige wijze een stapeltje formulieren toegeschoven, met het verzoek die in te vullen. Ik beschreef mijn koffer nauwkeurig en verhoogde de waarde van de inhoud met een paar honderd euro. Mijn eigendommen zouden binnen twee werkdagen op mijn thuisadres worden bezorgd, zo verzekerde mij de British Airways-man. Nou, hij heeft nog één dag.

Ik neem me voor om op te ruimen. Om mijn nieuwe stofzuiger in te wijden en de ramen wagenwijd open te zetten. In plaats daarvan ga ik zitten in de zitzak die ik voor mijn laatste verjaardag van Rafik heb gekregen. Rafik.

Had ik misschien vaker tegen hem in moeten gaan? Had ik hem niet als een gewond dier moeten gaan zien? De mismaakte runderen uit mijn kindertijd genazen ook nooit. Eens in de zoveel tijd zat er een miskleun bij de jonggeborenen. Een kalf dat eruitzag alsof het gezond was. Maar mijn vader had het meteen door. 'Die is gestoord,' zei hij. Van Creutzfeldt-Jacob had toen nog niemand gehoord, maar gekke koeien hebben altijd al bestaan. Hij liet ze slachten nog voor ze volgroeid waren. Een keer probeerde ik hem tegen te houden. Ik had mijn pols met een touw vastgebonden aan de nek van het kalf. 'Weg meid, het kan niet anders.'

'Nee, deze is niet gek.'

Zijn eeuwig rode wangen waren paars geworden van woede. 'Laat los, anders zwaait er wat.'

'Nee, papa!' Mijn vader hief zijn hand dreigend in de lucht. Ik zie hem nog voor me. We stonden buiten op het erf. De lucht was helderblauw en de zon scheen fel in mijn gezicht. Maar nu was er zijn hand, die schaduw bracht en rust. Ik was ineens niet meer bang. 'Sla maar.' Hij had nog nooit een van zijn kinderen geslagen. Dat wist ik. Daar schepte hij over op alsof het om een trofee ging. Hij liet zijn hand zakken. Het zonlicht was terug en stak scherp in mijn ogen. 'Een week,' zei hij toen nors. 'Je krijgt een week om te bewijzen dat dit kalf in z'n kop gezond is.'

Vanaf dat moment was ik iedere minuut die ik niet op school hoefde te zijn, bij Marta. Dat was haar naam, Marta 3. Ik borstelde haar vacht, kriebelde in haar nek, gaf haar extra voer en fluisterde haar lieve, bemoedigende woordjes toe. Ik was de eerste paardenfluisteraar, maar dan met koeien. Na zeven dagen presenteerde ik het genezen kalf aan mijn vader. Hij leek overtuigd. Maar toen ik een paar dagen later uit school kwam, zag ik het. Mijn koeienkind had zo hard tegen de voederbak geslagen dat er een diepe wond op de zijkant van haar kop was ontstaan. En nog steeds stond ze daar als een autist tegen de bak aan te rammen. Het duurde minimaal een uur voor ik haar met mijn geaai en gefluister weer rustig kreeg. Tegen mijn vader zweeg ik angstvallig. Elke dag bleef ik haar trouw opzoeken in de stal, maar op een dag was haar plek leeg. We hebben het er nooit meer over gehad.

Het sneeuwt in mijn kamer. Minuscule witte bolletjes bewegen autonoom door de ruimte. Niet alleen van boven naar beneden maar ook van links naar rechts, van rechts naar links, van beneden naar boven, diagonaal en rond. Ze hebben bijzondere voorkeuren: de lampenkap, mijn haar, mijn sokken, de koelkast, mijn handen, de chromen poten van de eetkamerstoelen, de tv en de stereo. Tegen sommige voorwerpen keren ze zich af: de houten tafel, mijn spijkerbroek, de kozijnen, mijn glas met rode wijn én de zak waarin ze vroeger gevangen zaten. Ik heb de etensresten weggegooid, en daarna heb ik een fles wijn opengetrokken om voor de laatste keer – dat heb ik echt beloofd aan mezelf, de laatste, aller-, allerlaatste keer – te vieren dat Rafik er niet meer is. Met een paar stevige messteken in de zak kwam de sneeuwversiering zo de party in gerold. O, wat hebben wij een lol met z'n allen. We dansen door de kamer, drinken wijn en luisteren naar muziek. '*Mmmmm, if I could melt your heart.*'

Ik schrik van de bel. Shit, hoe laat is het? Mijn horloge geeft kwart over tien aan. Zou hij teruggekomen zijn? Ik loop naar de intercom en druk op de knop. 'Rafik?'

'Hallo, ik heb een koffer voor mevrouw Koster.'

'Ik kom eraan...' Mijn spullen. Ik stort me naar beneden, in het donkere gat van de trap. Ik open de deur.

'Zou u hier even kunnen tekenen?' Hij houdt een formulier en een pen voor mijn neus. Ik zet een snelle krabbel. Vraag me af of ik hem een plezier doe met een glas wijn. Om de terugkeer te vieren van mijn voor eeuwig verloren gewaande spullen. De man tilt mijn grijze Samsonite over de drempel.

'Zo. Veel plezier ermee en nogmaals excuses namens de maatschappij.'

'Dat zit wel goed.' Hij draait zich om en loopt weg. Jammer, we hadden kunnen matchen. Ik wuif hem na. 'Daag.'

Als ik in de slaapkamer de koffer open wil maken, zie ik dat het slot is geforceerd. De code is verbroken. Nou ja, 06-11, de datum waarop ik Rafik heb ontmoet, heeft toch geen betekenis meer. Ik rits hem los en klap hem open. Keurig opgevouwen kleren. Het duurt heel even voor ik het doorheb. Een gebloemd jurkje, een satijnen negligé. Pumps, zwart glanzend. Een spijkerbroek van een merk dat ik niet ken. Een groene toilettas. Dit zijn mijn spullen niet. Deze koffer is niet van mij. Ik gooi de klep weer dicht, schuif het ding de gang in, trap mijn joggingbroek uit en laat me op bed vallen.

In mijn droom komt hij me halen. Het was een vergissing, Wei Tan was de personificatie van zijn midlifecrisis. 'Maar zo oud ben je toch nog helemaal niet?' vraag ik zwak. 'In mijn geest, lieve Lizzy, ben ik al eeuwenoud.' Hij neemt me in zijn armen en verzekert me dat het niet meer zal gebeuren. Nooit meer. De vergeving die ik hem vervolgens schenk mondt uit in een vrijpartij. Hij bovenop, als vanouds. Zwaar hijgend, als een astmapatiënt. Met zijn ogen dichtgeknepen bereikt hij zijn climax. Breed getrokken mond. 'Jéhé!' Seks zoals ik die ken, al vier jaar lang. Weinig opwindend, maar heel veilig. Ik kijk hem aan en vraag of hij me nooit meer zo wil laten schrikken. Hij schudt zijn hoofd, glimlacht lief naar me. En ik zweef verder. Volmaakt tevreden.

Mijn geest verplaatst zich naar mijn jeugd. Naar de boerderij waar ik mijn kinderjaren heb doorgebracht. Waar de katten jonkies kregen tot ze er scheel van keken. Waar de koeien aria's zongen in barensnood. Waar de vliegtuigen onze trommelvliezen opbliezen en waar de stembanden kapotgeschreeuwd werden voor nog meer lawaai. Ik vlieg boven het oude huis en zie mijn moeder naar me zwaaien. Haar keukenschort omgebonden. Haar vettige haren achterovergekamd. Haar craquelé gezicht met de horizontale streep van haar tandeloze lach – het kunstgebit zat haar niet lekker. Ze is blij om me te zien. Dan hoor ik mijn vader. Hij staat op de nok van het dak en schreeuwt dat ik naar beneden moet komen. En ik weet al wat er nu gaat gebeuren. Ik probeer hem te waarschuwen, maar ook daarvan weet ik dat het niets uithaalt. Hij doet een stap naar rechts om dichter naar de schoorsteen toe te klauteren. En dan gebeurt het. Hij glijdt uit. Ik gil. Zie hem vallen. De doffe klap is zelfs hierboven hoorbaar. Mijn moeder die even opschrikt en weer verdergaat met zwaaien, maar zich dan realiseert wat dat geluid was. Wie er gevallen is. Haar krijsen. Mijn onmacht om dichterbij te komen.

Op het erf van mijn ouders heb ik geleerd dat de dood je zomaar kan overkomen. In een put of onder een tractor. In de sloot of op je fiets. Het gebeurde met een jongen uit mijn klas. Het gebeurde nog vaker in de krant. Het gebeurde ten slotte met mijn vader. En ik dacht: ik moet zorgen dat ik eraan ontsnap. Dat ik steeds wegglip als het mij dreigt te gebeuren, om mijn noodlot te snel af te zijn. Een andere richting uitgaan zonder om te kijken. Vluchten nog voor het gevaar zich heeft aangediend. Me nooit meer laten afleiden, dat werd mijn missie. Mijn kracht. Maar waarom verlies ik dan elke keer toch de controle? Laat ik de scherpe lucht van mest en gier weer binnendringen? Waarom kan ik het niet laten om te geven? Aan één iemand. Te ademen voor één iemand.

Aan het voeteinde van het bed staat Rafik. Keurig aangekleed. Koffer in de hand. Hij beweegt staccato zijn arm omhoog en zwaait naar me. Als een robot. 'Dag, Lizzy. Ik ben weg.' klinkt zijn monotone stem.

Met een schok word ik wakker. Kwart over acht. Shit, vrijdagochtend: stipt halfnegen algemene strategievergadering. Dat
haal ik nooit. Vlug bellen dat ik me verslapen heb. Ik spring onder de douche, droog me slordig af, kleed me aan, poets mijn
tanden, borstel pijnlijk hard mijn haar en al lippenstiftend ren
ik naar de gang, waar ik languit over de Samsonite val. Kutkof-
fer.

Haastig stap ik de vergaderkamer binnen. Het stemgeluid verstomt en wordt overgenomen door mijn hijgende ademhaling
en mijn tikkende hakken. Tien ogen die mij opzuigen. Bernice
heeft mijn collega's natuurlijk met veel bombarie ingelicht:
'Beste mensen, jullie zullen het niet geloven, maar Lizzy heeft
zich weer eens verslapen!'
    'Ga snel zitten, Lizzy,' bromt Herman. 'Dan kunnen we ver-
der gaan.'
    Ik loop naar de enige vrije stoel. Heilig neem ik me voor om
zo aandachtig mogelijk te luisteren. Om scherp te zijn. Spits.
Leuke voorstellen te doen en creatieve ideeën op te werpen.
Maar eenmaal met mijn billen op de met stof beklede zitting
en met de eentonige stemmen van mijn collega's in mijn oren,
ontglippen me de moed en de inspiratie om wat dan ook bij te

dragen. Ik knik flauw en geef mijn stem aan de meest saaie voorstellen. Als ze me vragen waar de kansen liggen voor *Job-hop* zeg ik: 'Doelgroepverbreding. Distributie-uitbreiding. Free publicity.' Mijn geluid komt van ver. Alsof iemand anders op mijn plek is gaan zitten en mij heeft weggejaagd uit mijn eigen lijf. Zij knikt beleefd, voegt af en toe een zinnetje aan het gesprek toe. Ik ken haar niet. Ik kijk naar haar van een afstand, en vraag me af wie ze is.

Na een uur en tien minuten staan we gebroederlijk op, gunstig gestemd over zoveel eensgezindheid en concrete plannen. Ieder gaat weer door met zijn eigen traject. Produceren, opleveren. Stukken die we van elkaar niet eens lezen. Zelfs niet als ze keurig zijn afgedrukt in de *Job-hop*.

Ik heb net mijn computer opgestart, als ze ineens achter me staat. Deze vrouw heeft de gave uit het niets te verschijnen, puur om anderen angst in te boezemen.

'O, Bernice, ik zag je niet.'

'Herman en ik willen je graag even spreken.'

De korte mededeling voorspelt weinig goeds. Acute buikkrampen. Met gebogen hoofd loop ik achter haar aan naar het kantoor van Herman. Ik voel mijn collega's kijken. Zij weten het al. Hebben het gehoord in de paar minuten die ik op me liet wachten. Als een lam naar de slachtbank.

'Ja, Lizzy, ik vrees dat we niet zulk goed nieuws hebben.' Het 'ga even zitten' is Herman vergeten. Ik sta voor zijn bureau met cipier Bernice naast me. Zij is er om ervoor te zorgen dat ik niet kan ontsnappen. Er is geen ontkomen aan de woorden die ze al zo lang in mijn gezicht heeft willen schreeuwen.

'We zullen je moeten ontslaan.' Hij laat een dramatische pauze vallen. Ik zie hoe zijn wangen zacht vibreren. Alsof zijn wangvet zich langzaam probeert los te trillen van zijn gezicht. 'Je resultaten zijn niet eens zo slecht, dus daar ligt het niet aan.

Het is je houding, je onprofessionaliteit.' Hij zucht even. Bernice knikt hem bemoedigend toe. 'Je slordigheid, je labiliteit, je onvoorspelbaarheid en je vergeetachtigheid. Het zijn allemaal eigenschappen waar wij niet op kunnen bouwen. Het spijt ons, Lizzy, maar je bent niet langer welkom bij *Job-hop*.'

In de auto terug naar huis valt mijn masker van onaantast-
baarheid. Mijn tranen maken mijn uitzicht op het verkeer
troebel. Ik veeg het vocht weg, steeds opnieuw. Net als rui-
tenwissers. Had Herman iets getoond van oprecht medeleven, had hij zich plaatsvervangend gegeneerd, of zich ge-
schaamd voor zijn eigen lafheid, dan was dit niet zo hard
aangekomen. Was hij desnoods geërgerd geweest, of on-
machtig, omdat hij mij niet had weten te kneden tot een pro-
ductieve werkneemster, dan had ik het ook nog geslikt. Maar
niks? Drieënhalf jaar van mijn werkende bestaan heb ik aan
hem gegeven. Dat schuif je toch niet zonder enige emotie
van tafel? Bij Bernice bespeurde ik nog iets van triomf. Daar
valt tegen te vechten. Ik liep met een minzame blik aan haar
voorbij en wenste haar dood. Dit keer had ze mij geraakt,
maar de volgende keer zou ik haar genadeloos doorzeven
met mijn blaffer. *Game over!* Maar Herman... hij keek niet
eens op. Toen ik in mijn jas, met een doos vol prullaria in
mijn armen, voor zijn openstaande deur stond en zei: 'Nou,
tot ziens dan maar,' bleef hij gewoon doortikken. Alsof ik
niet bestond.

Vorig jaar, op zomaar een zaterdagmiddag: 'Wat doe je toch uit de hoogte. Je praat alsof je zelf uit de stad komt.' Mijn moeder schenkt heet water op de koffie in de filter.

'Dat is echt onzin, mam. Ik praat zo "netjes" omdat ik anders niet te verstaan ben in Amsterdam.' Ik kijk naar de oranje vliegenstrip die aan de lamp hangt. Een dikke vlieg voert er een wanhopige doodstrijd. Boven hem plakken minimaal vijf lotgenoten die het gevecht al hebben verloren.

'Als ons pap je kon horen... Hij had altijd een hekel aan die stadsmensen.'

'Papa is gestorven.'

'Ja, dat weet ik zelf ook wel.' Ze zet de filter in de wasbak en komt met de volle koffiepot naar de tafel. 'Kun je niet wat vaker komen? Dan kun je ook af en toe helpen.' Ze schenkt mijn kopje vol met doorzichtige koffie. 'Melk? Of ben je weer op dieet?'

'Nee, doe maar een scheutje.' Ze loopt naar de koelkast en pakt er een grote fles Friesche Vlag uit. 'Mam, je hoeft toch geen koeien meer te houden. Bram kan ze zo overnemen. Of Pieter.' Ze schiet uit met de fles, waardoor mijn kop bijna overstroomt.

'Jouw broers hebben hun eigen koeien. En trouwens, moet ik de stallen hier dan leeg laten staan?'

Op de lichtbruine plas in mijn kopje drijven witte schilfers. 'Was die melk nog wel goed, mam?'

'Tuurlijk. Die heb ik vanochtend nog gebruikt.'

Ik buig me voorover om voorzichtig een slok te nemen. Zuur smaakt hij niet.

'Heb je trouwens gehoord dat tante Sjaan iets in haar hoofd heeft?'

'Wat, kanker?'

'Nee. Ze praat de raarste onzin. Dan lacht ze ineens en daarna begint ze te huilen als een klein kind.'

'Het zou door een tumor kunnen komen.'

'Niet alles is kanker tegenwoordig! Een kwade geest is in haar ziel gekropen en heeft haar verstand overgenomen.' Mijn moeder tikt met haar wijsvinger tegen haar voorhoofd. 'Ik steek elke avond een kaarsje voor haar op, maar dat helpt ook niet.' Ze zucht en neemt een slok van haar koffie. De vlieg op de plakstrip bromt niet meer. Het tikken van de klok klinkt harder. 'Ken jij niemand daar bij jullie die geesten kan uitdrijven?'

'Nee.'

'Nou ja, dan moeten we toch maar naar Duitsland.'

'Hoezo?'

'Er schijnt hier vlak over de grens zo'n soort dokter te wonen die haar beter kan maken.'

'Mam, dat is gewoon een kwakzalver.'

'Wat maakt dat nou uit? Als het maar helpt. Jij weet niet hoe erg jouw tante eraan toe is.'

Ik zie nog een pootje bewegen. En een vleugel. Maar dat kan ook de tocht zijn.

'Ik ga zo weer.'

'Nu al? Ik dacht: misschien kun je even mee naar tante Sjaan. Die zou dat hartstikke leuk vinden.'

'Ik moet nog werken.'

'Da's ook belangrijk. Hoe gaat het eigenlijk met je man? Die heb ik al heel lang niet meer gezien.' Mijn moeder vermijdt het uitspreken van zijn naam altijd. Bovendien weet ze best dat we niet getrouwd zijn.

'Goed. Ik moest de groeten doen.'

'Doe maar terug.' Ze begint plotseling te lachen, waarbij ze heftig haar hoofd schudt. Ik ben bang dat haar knot losraakt en het grijze haar langs haar oude, onopgemaakte gezicht naar beneden stort. 'Ik was zo blij toen ik uiteindelijk toch nog een meisje kreeg. Ik dacht: dan kunnen we lekker kletsen. Samen koken en voor de kleinkinderen zorgen. Maar dat jij als enige van de familie bent weggegaan en nog steeds geen kinderen hebt...' Weer giert ze het uit. 'Ik had dat echt nooit verwacht.'

'Ach mam, de meeste dingen in het leven gebeuren toch onverwacht.' Ik drink de lauwe koffie in een paar grote slokken op. Mijn moeders lachen stopt net zo abrupt als dat het begonnen is.

'Daar heb je gelijk in. Had ik maar zien aankomen dat papa zijn nek zou breken. Dan had ik hem kunnen verbieden het dak op te gaan.'

'Je moet jezelf niet de schuld geven.'

'Dat doe ik ook niet.'

Ik sta op. 'Nou, ik bel wel weer, hè.'

'Ik hoop dat ik dan thuis ben.'

'Anders probeer ik het later nog eens.' Ik loop naar de deur. Zoenen delen we in onze familie alleen uit bij verjaardagen. Voor de rest is het houdoe en tot de volgende keer.

'Daag!'

'Liesbeth?' Mijn moeder is de enige die me zo noemt. Ik draai me naar haar toe en hoop op niet nog een verwijt.

'Je kunt je achtergrond niet verloochenen. Iedereen blijft wie hij is.'

'Dat weet ik, mam.'

Ik loop de deur uit. Het grind kraakt onder mijn voeten. Mijn zwarte Audi, die ik net heb afbetaald, staat glimmend naar me te lachen in de brandende middagzon. Ik kan niet wachten tot ik weer thuis ben, in mijn verbeterde wereld.

Nu een jaar later, op een rampzalige vrijdagochtend, rij ik mijn straat in met diezelfde auto. Ik zal hem binnenkort moeten verkopen. Ik zal mijn spullen moeten verpanden. Mijn huis moeten delen. Ik heb nog een maand salaris te goed en tweeduizendzeshonderdvijftig euro aan spaargeld. Daarna is het op.

Opnieuw het besef. Mijn leven valt uiteen. Op dit moment. Onvermijdelijk als de zwaartekracht. Onomkeerbaar, zoals de dood.

Klaar. Weg met de somberheid. Het is lente tenslotte. Vanaf hier ga ik een nieuw leven beginnen. Niets dat me nog in de weg staat. Ik heb alle piepschuimballetjes verzameld. Een secuur werkje, waarmee ik mijn gedachten zeker een uur heb weten af te leiden. Daarna heb ik mezelf geschrobd, van mijn kruin tot mijn voetzolen. Ik ben zo schoon dat je van me zou kunnen eten. De meubels heb ik in een hoek geschoven en de muziek is uit. De vreemde koffer staat klaar om opgehaald te worden. Ik toets een nummer in op mijn gsm. Op het formulier in mijn handen staat het dossiernummer dat ik moet doorgeven. Na lang wachten krijg ik een medewerker. Ik begin automatisch in het Engels tegen hem te praten.

'What do you mean out of the system? It's not my suitcase.'

'Dat is dan heel spijtig.' Hoe weet hij dat ik Nederlands ben?

'Het enige dat u zou kunnen doen, is het adres achterhalen van de eigenaar, want waarschijnlijk is uw koffer bij diegene...' Het geluid wordt plotseling afgebroken. Shit, mijn gsm is leeg. En mijn oplader zit in de koffer. Een nieuw leven beginnen oké, maar mijn oplader had ik graag terug willen hebben. Net zoals het zelfhulpboek waarin ik halverwege was. Mijn ondergoed, de nieuwe jurk die ik mezelf cadeau had gedaan voor mijn verjaardag, de gouden oorringen die ik van mijn moeder heb gekregen toen ik afstudeerde, en de boeddha die me op elke reis beschermde.

Ik trek de vreemde koffer naar me toe en begin een voor een alle spullen eruit te halen. Een spijkerbroek, twee boeken, drie jurken, een rode, een paarse en een gebloemde, een rokje, een dikke map van een farmaceutisch bedrijf met een syllabus van honderdvijftig pagina's, in het Engels. Een plastic tas met sokken, panty's en onderbroeken. Een blauwsatijnen negligé. Een dikke toilettas, een riem. Een vest. Twee zilveren fotolijstjes in papier, drie slordig gevouwen T-shirts, een kanten hemdje, een blouse, een colbert, twee bh's, een van kant en een gladde. Een paar gymschoenen en hoge zwarte laarzen.

Ik leg deze vrouw als een waaier om me heen en kijk naar de drie lege fotolijstjes. Voor welke foto's waren deze lijstjes bedoeld? Wie heeft er geslapen in dit zijden nachthemd? Ik strijk met mijn hand over de zachte stof. Voel met mijn vingers aan het kant. Pak het op en ruik eraan. Een vertrouwde zoete geur vermengd met iets onbekends. Welk parfum is dat ook alweer? Ik kijk naar de titels van de boeken: *gedichte die einer schrieb bevor er im 8. Stockwerk aus dem Fenster Sprang* van Charles Bukowski. Ik sla het open. Het is een gedichtenbundel. Raar, zinnen over seks en drank vertaald naar het Duits: *Ich trinke zuviel Bier, sagte sie. Kann nichts dafur dass ich dauernd pissen muss. Wir fickten 17 lange Tagen.* Het andere boek is een roman: *Das vergessene Gesicht.* Het ziet er veelgelezen uit. Ik kijk naar de foto op de voorkant, het silhouet van een vrouwenhoofd. Mijn hand glijdt over de harde kaft. Het is een ouderwets gebonden boek. In de binnenflap lees ik dat het geschreven is in 1990 door Andreas Hoffmann, een toen vijftigjarige man. Zijn debuutroman. De korte Duitse samenvatting vertelt het verhaal van een jonge Duitse vrouw in de oorlog. Ik sla de eerste pagina om en lees in net handschrift: *18 december 1990. Für mein liebes Kind, Monika, die jetzt eine junge Frau ist. Dein, Andreas.* Monika, zou deze koffer van de genoemde Monika zijn? Of is het een tweedehands boek, gekocht op een rommelmarkt?

Ik kijk nog eens naar de lege koffer. Het is inderdaad precies dezelfde koffer als die van mij. Zelfs de riempjes die aan de binnenkant zitten heeft deze vrouw net zoals ik niet gebruikt; ze liggen slordig op de bodem. Dan, half verscholen in de voering, zie ik nog iets. Een veiligheidsspeld met iets wits. Ik pak het eruit. Het is een naamkaartje dat je kunt opspelden. Precies zo een als ook in mijn koffer moet zitten. Alleen staat hier met kleine in rood gedrukte letters op: Pharmaceutical International Congress. En daaronder in grote zwarte letters: Monika Schleich/Germany. Dit was dus hoogstwaarschijnlijk die Monika. Dat jonge meisje dat veertien jaar geleden een vrouw werd.

Ik sta op en loop naar de computer. Ik zet hem aan en wacht geduldig tot ik het bekende riedeltje hoor. Op de zoekpagina toets ik Andreas Hoffmann en *Das vergessene Gesicht* in. Slechts twee links komen tevoorschijn. Een die direct naar het boek verwijst en waarop een korte beschrijving te lezen is. Als ik doorklik op de uitgeverij, Gaus, krijg ik een lege pagina. De site is niet meer actueel. De andere link is een krantenartikel uit 1991 waaruit blijkt dat Andreas Hoffmann is verongelukt met zijn motor, in Dessau. Ik pak het boek op en kijk naar de verschijningsdatum. December 1990. De datum van het ongeluk was nog geen twee maanden later. Op 15 januari 1991 werd hij geschept door een auto en overleed ter plekke. Klaar. Raar verhaal. Deze schrijver heeft slechts één roman mogen maken. En Monika, zijn dochter, draagt het boek van haar vader elke reis met zich mee. Ik toets de naam Monika Schleich in. De zoekopdracht levert de gegevens op uit het bevolkingsregister van een vrouw die van 1796 tot 1849 leefde. Vervolgens lees ik een oproep van een kind. *'Monika möchte ihre Schleich Tiere tauschen'*. Daaronder komen heel veel advertenties van speelgoedwinkels. Maar helemaal onder aan de pagina zie ik staan: Schleich, Monika, Pharmaceutical Engineer in Leipzig. Ik klik op 'afbeeldingen' en dan verschijnt ze. Monika. Klein, blond en breeduit lachend. Ze staat naast een man in smoking met een gleufhoed op. Zijn gezicht kan ik niet zien vanwege de donkere schaduw die de hoed maakt. Wel zie ik dat hij lacht. De kleine, tengere Monika in de glinsterende avondjurk schatert alsof haar net een geweldige grap is verteld. Een act van twee gelukkige mensen.

Toen ik nog een meisje was, kon ik me niet voorstellen dat ik ooit de namen van mijn klasgenootjes, met wie ik acht jaar in zweterige lokalen gevangen zat, zou vergeten. Zoals mijn moeder. Maar nu ik zelf vierendertig ben, moet ik toegeven dat ik zeker de helft kwijt ben. Verzonken in de diepe krochten van mijn geheugen. Maar op het moment dat iemand ze weer zou uitspreken, wijzend naar het kind in kleding uit de jaren zeventig met bijbehorend kapsel, zou een aha-erlebnis zich van mij meester maken. 'Natuurlijk! Hoe heb ik dat kunnen vergeten!' Een aantal namen heb ik wel meteen paraat. Yvonne, omdat ze een lief rond gezicht had, en haar ouders boeren waren die zich niet boers gedroegen. (In tegenstelling tot de meeste ouders, die zich wel boers gedroegen, zoals de mijne.) Bram, de jongen met de brede glimlach, die toen nog niet kon vermoeden dat hij een jaar later zou verdrinken. Miranda omdat ze een knappe broer had, van wie werd beweerd dat hij een zonnebril had waarmee hij door kleren heen kon kijken. Jolanda, omdat er daar twee van waren, met de een speelde ik vaak met de ander nooit. Betty, omdat iedereen riep dat ze stonk.

Dat was ook daadwerkelijk zo maar daar kon ze niks aan doen. Robbie, omdat hij verliefd was op mij, maar ik hem irritant vond met zijn ronde brilletje, zijn vader met een appelboom- gaard en zijn lijf dat net iets boven het mijne uitstak, waardoor hij op nummer twee stond bij gym. Naast mij, de kleinste. Ver- der had ik geen idee.

Maar zou iemand, een oude juf of zo (hoe heetten zij ook al- weer? Cremers, Habraken, ja zie je, ik weet er zomaar twee op te lepelen), met mij de kinderen een voor een afgaan en ze op- nieuw de namen geven die mij zo bekend in de oren klinken, dan zou het terugkomen. Voor altijd, tenminste, zo zou het voelen. Omdat je als je ouder wordt gaat terugverlangen naar die namen. Naar die levens die zo dichtbij waren, ooit.

Maar er zit geen juf of meester naast me. Misschien zijn ze wel dood. Van één weet ik het zeker, een meester in dit geval. Hij was al heel oud toen hij bij ons voor de klas stond en een hele pief in ons dorp, omdat hij wethouder was geweest toen hij nog jong en actief was. Maar ik had de middelbare school nog niet afgemaakt of hij lag al onder de zoden op het kleine kerkhof van Beek en Donk. Een van mijn favoriete speelplek- ken. Waar ik monsterlijke verhalen verzon en mijn angst tartte door in de open graven te staren. Een fascinatie voor de dood heb ik altijd al gehad. Maar ik dwaal af.

Dus in de koffer die precies op de mijne leek, maar niet de mij- ne was, heb ik een naam gevonden. Een naam die correspon- deert met de afbeelding van een vrouw. Iemand van ongeveer mijn leeftijd. En ik dacht: verrek, ken ik haar niet van vroeger? Maar dat zou raar zijn, want de koffer is afkomstig uit Duits- land, en de eigenares heet Monika Schleich. Zat er niet een Mo- nika bij mij in de klas? Monika van Boekel of Monika Kuipers, die later getrouwd is met ene Schleich uit Duitsland. Ze lijkt echt als twee druppels water op iemand die ik ken. Van vroeger. Van toen we nog allemaal kinderen waren, de begin-dertigers nu. Maar wie is het? Aan wie doet deze vrouw me zo sterk denken?

Ik ben blijven nadenken. Niet over mijn voorbije relatie of mijn verloren baan. Niet over mijn kinderjaren, maar over Monika. In een oude schoenendoos onder in de kast ben ik gaan zoeken naar klassenfoto's. Ik vond er drie. Ik heb ze voor me op tafel gelegd en daar zit ik nu al een halfuur naar te kijken. Stuk voor stuk bestudeer ik de gezichtjes. Maar in geen enkel klasgenootje herken ik haar.

Dan kijk ik naar het meisje dat ik zelf was. Blond piekhaar, open gezicht, ogen die een beetje uit elkaar staan. Lachende kindermond. De wereld nog voor me. Hooggespannen verwachtingen. De vastberadenheid van een tienjarige. En ineens zie ik het. Ik zie op wie deze Monika lijkt. Ze lijkt op mij, Lizzy Koster.

Dit had ik kunnen zijn als ik een andere afslag had genomen. De voorstelling is compleet. Dit ben ik, maar dan met andere keuzes. De Lizzy die geen journalistiek maar chemie ging studeren net als Monika. Ik maakte daar niet voor niets altijd grappen over: 'Ach, ik kan altijd nog scheikunde gaan studeren.' De Lizzy die had gekozen voor een man met een gleufhoed en niet voor Rafik. Die Lizzy ís een soort Monika. De Monika die blijkbaar voor een farmaceutisch bedrijf werkt in Berlijn. Die familie en vrienden heeft in Duitsland. Heeft ze kinderen? Er is geen enkele aanwijzing voor. Maar goed, als je voor je werk naar Londen gaat, hoeft er geen bewijsstuk van je moederschap in je koffer te zitten. Foto's heeft ze in haar portemonnee, cadeautjes in haar handbagage. Zou ze gelukkig zijn? Wat zou ze doen als ze vrij is, naast het lezen van de gedichten van Charles Bukowski? Wat voor jeugd heeft ze gehad? Welke dromen droomde ze en wie is haar vriend? Of man? Want waarschijnlijk is zij wél getrouwd. Wat voor een leven hebben deze man en vrouw samen? Net zoiets als Rafik en ik? Vol tegenstrijdigheden en ergernissen. Maar ook vol tederheid en troost.

Mijn blik dwaalt over uitgestalde spullen die op het tapijt liggen. Dan naar de lege koffer waar ze uit gekomen zijn. Toch raar dat deze koffer er precies zo uitziet als de mijne. Een middelgrote, grijze trekkoffer van Samsonite. Twee jaar geleden aangeschaft, toen we naar Kreta op vakantie gingen. Zelfs de kleine beschadigingen aan de hoeken lijken hetzelfde.

Ik tast in het voorvak. Leeg. Ik wil mijn hand net terugtrekken als ik iets voel. Papier. Dit zal de verklaring zijn. Hierop staat geschreven dat het een grap was die ze met me hebben uitgehaald. Een les. Zoiets als: zo had het dus ook kunnen zijn, doe er wat mee!

Het is een handgeschreven envelop. Monika Schleich, DanzigerStrasse 354, Berlin, staat er op de voorkant. Aan de bovenkant van de envelop zit een bijna onzichtbare scheur. Waarschijnlijk opengesneden met een briefopener of een mes. Iets waar ik nooit het geduld voor heb. Als ik de brief eruit haal heb ik de neiging om een snelle blik over mijn schouder te werpen, om me ervan te overtuigen dat er niemand meekijkt. Alsof dat wat ik nu ga lezen een geheim onthult waar de doden van zullen opstaan. Waar alle verhoudingen hun stabiele basis van zullen verliezen. En waar de bomen spontaan van zullen omvallen. Niets is meer zeker.

Op het papier staan handgeschreven woorden in blauwe inkt. Ik begin te lezen.

Londen, 24 april 2003

Beste Monika,

Sorry dat ik je niet eerder heb geschreven. De drukte rond Pasen maakte dat ik er niet sneller aan toekwam. Ik hoop dat deze brief je nog op tijd zal bereiken. Leuk trouwens dat je me een verhuiskaartje stuurde. Bevalt het een beetje in jullie nieuwe stulpje?

Ik heb begrepen dat je pas op de openingsdag van het congres hier zult aankomen. Wij willen je van harte uitnodigen om bij ons te komen logeren. Hoewel het wat minder luxe is dan het Marriott, is het wel veel gezelliger. Kijk maar wat je doet. Ik zie je in elk geval dinsdagavond bij de openingsborrel. Doe de groeten aan je vriend en zeg dat hij het wat rustiger aan moet doen.

Love,
Charlene

PS Laat het me weten als je mail het weer doet. Dat gaat toch sneller!

Voorzichtig vouw ik de brief dicht en stop hem terug in de envelop. Dan neem ik een besluit. Ik pak de koffer netjes in. Het Duitse boek stop ik in mijn eigen tas, samen met mijn toiletspullen, kleren, geld, creditcard en paspoort. Ik doe de lichten uit en sluit de deur af.

Binnen de kortste keren verandert de wereld in een lachwekkende miniatuur. Ha ha, heb ik me daar zo druk over gemaakt?

Over wat er zich op die vierkante millimeters afspeelt? Banale probleempjes voor bewegende poppetjes. Nee, ik ben op weg naar iets groters nu. Het heldere zonlicht boven de wolken. Verlichting van mijn ziel. Daar hoef je geen spiritueel denker voor te zijn. Geen tachtig jaar voor te worden. Nee, gewoon hup, een ticket boeken naar de zon. Of voor mijn part naar Berlijn.

Uit mijn tas pak ik het boek en sla het open.

'Voor mijn moeder.'

Het was het jaar waarin Duitsland derde werd op het WK-voetbal. Waarin de film *Der verlorene Sohn* in de bioscoop draaide. En waarin rijkskanselier Adolf Hitler, door de dood van Paul von Hindenburg, tevens rijkspresident werd.

De negentienjarige Sylvi Höffner was in de zomer van dat jaar verhuisd van Brandenburg an der Havel naar Berlijn, om haar droom, lerares worden, werkelijkheid te laten worden. Ze had een kleine kamer betrokken bij een hospita en genoot van haar eerste stappen naar een volwassen leven. Op een avond, begin november, ontmoette ze in een danscafé een jonge militair. Het was een bescheiden jongeman die Sylvi pas na een hele avond stilzwijgend staren ten dans durfde te vragen. Geen quickstep of een tango, maar een Weense wals. Schuchter pakte hij Sylvi bij de arm en leidde haar naar de dansvloer. Op de eerste vioolklanken nam hij haar in de juiste positie en begon zijn nauwgezette danspassen. Sylvi moest heimelijk lachen om zijn ernstige gelaatsuitdrukking. Alsof het om een echte danswedstrijd ging. Naarmate de wals vorderde, won de jongen aan zelfvertrouwen. De grip om haar middel werd steviger. De druk van de hand die de hare omklemde werd groter. Met zekere passen zwierde hij haar rond op de tonen van Johann Strauss. Zijn bevroren gezicht ontdooide en er verscheen een milde glimlach om zijn mond. Sylvi moest moeite doen om zich niet op zijn verfijnde gelaatstrekken te concentreren, maar net als hij steeds een nieuw punt in de ruimte te zoeken, zodat ze niet duizelig zou worden van het draaien. Haar voeten leken lichter te worden. De mensen om hen heen vervaagden tot bewegende schimmen, ergens ver op de achtergrond. Ze werd één met de muziek, de dans en de jongen. Eeuwig had ze zo kunnen blijven rondzweven, maar het lied eindigde in een crescendo en de betovering verdween. 'Hoe heet u?' vroeg ze nog nahijgend aan haar danspartner.

'Klaus Heinrich, en u?'

'Sylvi Höffner, aangenaam.' Ze stak uitnodigend haar hand naar hem uit. Hij pakte teder haar vingers en boog zich voorover. Zijn lippen raakten haar huid maar heel even. Het was genoeg om haar te laten blozen. 'Het is mij ook zeer aangenaam, Sylvi,' zei hij zacht. Sylvi glimlachte bedeesd. Nog nooit had iemand haar zo hoffelijk, zo voorkomend benaderd.

Hun eerste officiële afspraakje volgde drie weken later. Hij wilde haar meevoeren door Berlijn, om een kant van de stad te laten zien die ze nog niet kende. Hij was er opgegroeid en wist naar eigen zeggen meer over de stad dan over zijn familie. Sylvi moest lachen om zijn opschepperij en zei met opgetrokken wenkbrauwen dat het haar zou benieuwen wat hij haar allemaal te melden had.

De zondag van hun afspraakje was het koud. De vorst had een dun laagje ijs over de bomen gelegd. Het gaf een sprookjesachtige sfeer aan de stad. Langer dan gewoonlijk had ze getwijfeld over haar kledij. De ene jurk was misschien wat te uitdagend voor een eerste afspraak, de andere te kuis. Haar wollen japon, die perfect zou zijn voor een winterse wandeling, kriebelde haar zo erg dat ze bang was dat ze de hele tijd zou moeten krabben. Uiteindelijk koos ze voor een donkerblauwe gevoerde rok met een klein werkje erin en een lichtblauwe blouse. Daaroverheen trok ze het grijze vest aan, dat ze een paar weken geleden voor een gereduceerde prijs had gekocht bij KaDeWe. Het zag er misschien wat stijfjes uit, maar ze bekeek zichzelf met de blik van Klaus. Ze probeerde in te schatten wat zijn smaak was. Conservatief, netjes, met hier en daar een subtiel detail. Zoals haar nieuw aangeschafte zijden kousen en het plissérandje aan de bovenkant van haar blouse.

Op exact de afgesproken tijd stond hij voor haar deur. Zijn mantel hing te laag op zijn broek. De kraag van zijn overhemd sloot niet geheel aan bij zijn hals en vertoonde wat slijtageplekjes aan de boord. Maar het dieprode zijden strikje zag er ongedragen uit. Het glom haar tegemoet. Net als zijn kastanjebruine haar, dat in een nette scheiding met brillantine plat op zijn hoofd was gelegd. Ook hij had zichtbaar zijn best gedaan.

Klaus nam haar mee in de tram naar Leipziger Platz. Ze moest moeite doen om niet te onnozel uit het raam te staren naar alle architectonische wonderen waar ze aan voorbijreden. Sylvi woonde nu een paar maanden in Berlijn, maar als eenvoudig meisje uit Brandenburg raakte ze nog elke dag geïmponeerd door de bombastische bouwwerken van de stad. Van de economische crisis leek weinig te merken tussen deze pracht en praal. Natuurlijk had ze als werkstudente weinig te besteden, maar af en toe stopte haar moeder, zonder dat haar vader het wist, haar iets toe. Hiermee kon ze zich net dat extraatje permitteren dat haar leven wat jeu gaf.

Nadat ze waren uitgestapt stonden ze zij aan zij op het grote plein en draaiden langzaam rond. Alsof ze zich te midden van een panoramaschilderij bevonden. 'Dat is de Pauliner kirche,' zei Klaus, wijzend naar de oude kerk. 'Ik heb daar ooit een belangrijke trouwerij mogen meemaken, toen ik met nog vijftien jonge misdienaren was uitgenodigd.'

'Dat zal heel bijzonder geweest zijn,' zei Sylvi, en ze probeerde zich voor te stellen hoe de kleine Klaus eruitgezien moest hebben in zijn misdienarenkleed.

'Ja, zeker voor een kind van twaalf.' Klaus draaide een kwartslag. 'Kijk, en dat is het beroemde warenhuis Wertheim. Daar laten aanstaande echtelieden vaak hun cadeaulijsten samenstellen.'

'Praktisch, zo vlak naast de kerk,' reageerde Sylvi en ze keek met een schuin oog naar Klaus, die haar licht ironische blik beantwoordde met een glimlach.

Ze wandelden langs de statige huizen en de mooie etalages door de Potsdamer Strasse. Soms bleven ze even stilstaan omdat Klaus haar iets vertelde over een gebouw. Dat de beroemde schrijver Theodor Fontane er gewoond had bijvoorbeeld, of dat het grote modetijdschrift Bazar er gevestigd was. Allemaal wetenswaardigheden waar Sylvi inderdaad geen benul van had.

Op de Potsdamer Platz aten ze taartjes bij de meest befaamde bakkerij van Berlijn, volgens Klaus. Door het raam zagen ze het beroemde Fürstenhof Hotel en het net opgetrokken Columbushaus. 'Dat is een heel modern bouwwerk met een stalen constructie,' zo zei hij wijsneuzig. 'Dan heb je daar nog het befaamde bierpaleis en het wijnhuis, waar Alois Hitler als kelner heeft gewerkt.'

'Wie?' deed Sylvi naïef.

'De stiefbroer van Adolf Hitler, of weet je ook niet wie dat is?'

'Nee, moet ik die dan kennen?'

Klaus keek haar een moment verbouwereerd aan, maar begreep toen dat ze een grap maakte. Sylvi genoot van hun plagerijen over en weer. Van zijn verhalen en zijn kennis was ze werkelijk onder de indruk. En de chocoladetaart was de heerlijkste die ze ooit geproefd had.

Ze vervolgden hun weg over de Potsdamer brug. 'Dit is Wilhelm Röntgen, je weet wel, van de röntgenstralen.' Klaus wees naar het eerste standbeeld dat ze voorbijliepen.

'Interessant,' zei Sylvi.

'Ja, helemaal als je weet dat deze man letterlijk door alle niet-menselijke materie kon kijken.'

'O mijn hemel,' deed Sylvi geschrokken. En ze vouwde haar handen voor haar lichaam.

'Hij daar is de fysicus Helmholtz. Dan de wiskundige Gauss, de uitvinder Siemens en de werktuigbouwkundige Halske.'

'Jeetje, als ik dat maar allemaal kan onthouden,' verzuchtte Sylvi.

'Maak je geen zorgen, daar heb ik ook een paar dagen over gedaan,' zei Klaus lachend.

'Wat bedoel je?' Sylvi was nu echt van haar stuk gebracht.

'Je denkt toch niet dat ik dat allemaal wist voordat ik dit rendez-vous met jou had?'

'Hoezo, heb je het voorbereid?'

'Ja, het verbaasde me dat je dat niet eerder doorhad. Vorige week heb ik deze route al gelopen en toen heb ik alle informatie opgeschreven die ik tegenkwam.'

Sylvi begon te schaterlachen. Nog nooit had iemand op zo'n originele manier indruk op haar proberen te maken. En dan ook nog de rechtschapenheid om het eerlijk toe te geven. Ja, ze vond hem leuk. Echt leuk.

'Bevalt het je op de militaire academie?' vroeg Sylvi toen ze langs de oever van het Landwehrkanal liepen.

'Ja. Het is wel wat streng, en behoorlijk hard, maar dat hoort nu eenmaal bij het vak.'

'Wist je altijd al dat je het leger in wilde?'

Hij knikte. 'Mijn vader is gesneuveld in de oorlog. Ik heb hem nooit gekend. Ik ben opgegroeid met mijn moeder en mijn zus. Dus het is wel echt waar dat ik meer van Berlijn weet dan van mijn eigen familie. Ik had mijn vader graag gekend.' Hij schudde lichtjes zijn hoofd en glimlachte vaag. 'Ik had echte mannengesprekken willen voeren met hem. Mijn schoolopgaven door hem willen laten controleren. Met hem willen voetballen op straat, en…' Klaus stopte midden in zijn zin. Peinzend staarde hij voor zich uit. Sylvi keek naar zijn kwetsbare smalle gezicht. De scherpe kaaklijn. De kras op zijn wang, waarschijnlijk veroorzaakt door het scheren van zijn nog dunne baardgroei. Zijn ogen, gericht op het pad voor hen.

'Wat sneu dat je hem nooit hebt gekend.'

Klaus haalde zijn schouders op. 'Ach sneu is het vooral dat hij voor niks is gestorven.'

Sylvi kon de plotselinge neiging om hem aan te raken niet onderdrukken. Met haar hand streek ze vluchtig over de mouw van zijn jas. Hij had het niet door, of hij deed alsof hij het niet doorhad. Zwijgend liepen ze verder.

'Dit is de Herculesbrug. Genoemd naar?'

'De god Hercules,' antwoordde Sylvi met het enthousiasme van een leerling op de voorste rij.

'Heel goed, meisje. Weet je ook waar hij voor staat?'

Sylvi keek naar de marmeren beelden op de brug en deed een wilde gok. 'Voor de kracht.'

'Weer goed! Voor de heldendaden. Kijk, daar zie je dat hij met een centaur vecht. Die is half mens, half paard. En weet je wat hij daar doet?' Klaus wees naar een standbeeld van Hercules die oog in oog staat met een aanvallende leeuw.

'Lijkt me duidelijk. Daar probeert hij de leeuw te verslaan.'

'Fout, hij probeert de leeuw erop te wijzen dat hij zijn tanden beter moet poetsen. Kijk maar hoe hij in zijn bek kijkt.'

'Wat flauw.' Sylvi probeerde niet te lachen.

'Flauw maar waar, volgens de Berlijnse mythe,' reageerde Klaus laconiek. 'Zo, dit was mijn toer. Meer heb ik niet uit mijn hoofd geleerd.'

'Jammer,' zuchtte Sylvi.

'Ach, we kunnen nog heel wat zondagen afspreken,' zei Klaus lachend. 'Dan kan ik je nog veel meer vertellen.'

'Maar dan ga ik me ook voorbereiden.' Sylvi keek hem uitdagend aan. Ineens veranderde de uitdrukking op het gezicht van Klaus. De lach om zijn mond verdween en zijn ogen keken haar doordringend aan. Haar gezicht begon te gloeien. Ze voelde hoe zijn handen in de hare gleden. Voorzichtig boog hij zich voorover en kuste haar teder op haar wang.

En zo begon dit liefdesverhaal. Vol hoop en onuitgesproken beloftes. Twee jaar na deze eerste voorzichtige kus vroeg Klaus haar ten huwelijk. Sylvi zei ja.

Als ik bij de bagageband sta te wachten, ben ik bijna verbaasd dat mijn koffer er gewoon bij zit. Misschien verwachtte ik dat mijn leven vanaf nu een aaneenschakeling zou zijn van verloren en verkeerd bezorgde koffers. Dat mijn volgende bestemming bepaald zou worden door steeds weer een nieuwe inhoud van een vertrouwd omhulsel. Andere persoon, andere plaats, ander land. Een nieuw boek, nieuw verhaal. Zo zou mijn leven zich voortaan afspelen. Niet job-hoppend, maar life-hoppend.

Ik laat me door de taxi naar de DanzigerStrasse brengen. De chauffeur vraagt met een zwaar accent – ik schat in Pools of Tsjechisch – of dit mijn eerste keer in Berlijn is. Ik vertel hem dat ik hier al eens op schoolreis ben geweest, maar dat was nog vóór de val van de muur. De Duitse woorden komen stroef uit mijn mond. Hoe zat het ook alweer met die naamvallen? De chauffeur lacht. Ik zal wel schrikken, want er is een hoop veranderd volgens hem. Ik kijk door de beslagen ruit en zie een omgeving die ik totaal niet herken. 'Ik heb een slecht geheugen voor gebouwen,' zeg ik. 'Ik herinner me voornamelijk woorden. Ik ben journalist.'

  'Aha,' zegt de chauffeur begrijpend. 'En welke woorden herinnert u zich bijvoorbeeld?'

'Fick mich, du geile Affe.' Ik heb het gezegd voor ik het doorheb, het was gewoon het eerste dat in me opkwam. Aan de spiegel bungelt een vrolijk jezusbeeldje. De taxichauffeur mompelt iets onverstaanbaars en zwijgt. Ook ik ben stilgevallen. Na een kwartier, waarin het drukke stadsverkeer de pijnlijke stilte enigszins draaglijk maakte, stoppen we. 'Hier is het,' zegt hij nors. 'Wat is het nummer?'

Ik haal de envelop weer uit mijn tas. '354.' Hij drukt het gaspedaal weer in. De straat lijkt eindeloos. Oude huizen worden afgewisseld met communistische bouwwerken, en flats. In stilte tellen we de nummers af. Dan zijn we er. Zijn teller geeft 38,20 aan. De man draait zich om en vraagt vijftig euro. Ik betaal zonder protest en stap uit. Mijn koffer mag ik zelf tillen.

Mijn gevoel van onbehagen neemt toe. Waarom? Ik heb een legitieme reden om hier te zijn. Het is zelfs heel aardig van me. Ik kijk omhoog langs de vervallen oude gevel. Zou ze hier echt wonen? Monika, met/zonder man, met/zonder kinderen? Onzeker loop ik naar de brede houten voordeur. Tussen de naambordjes zie ik het meteen staan: Monika Schleich & Markus Brückner. In plaats van opluchting voel ik alleen maar meer zenuwen. Wat zal die vrouw wel niet denken? Ik lijk wel gek om helemaal naar Berlijn te komen om een koffer te ruilen. 'Labiel', dat woord gebruikte mijn baas toch? Misschien heeft hij gelijk en heb ik inderdaad een burn-out. Moet ik een tijdje gaan onthaasten op het Franse platteland. Kom op Liz, aanbellen. Wat kan er nou gebeuren? Stel dat ze het raar vinden, Markus en Monika, dan zeg ik gewoon dat ik hier toevallig toch moest zijn.

Ik steek mijn hand uit en druk met trillende wijsvinger op de bel. Even kraakt de intercom. Ik adem in voor een antwoord. Maar er komt geen vraag. Ik druk nog een keer op de bel. Niks. Nog een keer. Ze zijn niet thuis. Wat nu? Ik kijk op mijn horloge en zie dat het halfvijf is. Logisch. Die mensen zijn nog aan het werk. Of ze zijn op vakantie. Ik haal mijn schouders op en neem me voor het later nog een keer te proberen.

Hoewel Sylvi en Klaus allebei nog in opleiding waren, en nauwelijks geld bezaten om rond te komen, trouwden ze vlak voor kerst in 1936, in een kleine katholieke kerk in het Berlijnse Kreuzberg. Het was een trouwerij die tot in de puntjes geregeld was door Klaus. Hij had nou eenmaal een talent voor organiseren, zo pochte hij vaak tegen Sylvi. Zij liet het zich welgevallen. Zolang Klaus gelukkig was, was zij het ook. Bovendien werden haar op deze manier een heleboel hoofdbrekende zaken uit handen genomen. Zoals het uitzoeken van de bruidstaart, het samenstellen van het menu en het bepalen van de tafelschikking. Het enige waar ze bezwaar tegen had gemaakt, was zijn verzoek mee te mogen beslissen over haar bruidsjurk. Samen met haar moeder, die speciaal overgekomen was uit Brandenburg, was ze glanzend witte stof gaan kopen en repen roomkleurig kant. Na twee weken van geploeter op Sylvi's kamer, waarbij Sylvi's moeder haar vingers letterlijk had kapotgestikt met naald en draad, was de jurk klaar. Het resultaat had een overweldigend effect op Klaus. Zijn bruid was mooier, reiner en zachter dan hij zich ooit had durven voorstellen, zo fluisterde hij haar vlak voor de huwelijksmis in haar oor. Tranen van geluk rolden over haar wangen toen ze even later haar jawoord gaf. Zonder het geringste vermoeden

van de hevigheid waarin deze huwelijksdag in de speciaal gere-
serveerde hotelkamer zou eindigen. Waarbij de stof van haar
jurk op meerdere plekken uiteen zou rijten, en het bloed het
wit permanent zou kleuren.

Tot ze hun studie hadden afgemaakt zouden ze bij de moeder
van Klaus en zijn oudere zus inwonen. Maar het sombere huis
van haar schoonfamilie begon haar al na een paar maanden te
benauwen. Het leek wel alsof de geest van de overleden Klaus
senior er nog altijd rondwaarde. Ze drong daarom bij haar
echtgenoot aan om zo snel mogelijk een woning voor henzelf
te zoeken. Sylvi had haar opleiding al bijna afgerond, maar
Klaus moest nog ruim een jaar. Op een dag diende zich een
nieuwe mogelijkheid aan: Klaus werd benaderd door de SS,
waar hij nog voor de zomer aan de slag zou kunnen in een ge-
vangenenkazerne, dertig kilometer boven Berlijn. Hij zou een
dienstwoning toegewezen krijgen en zijn eerste geld verdienen. Het werk als cipier was geen lichte taak, maar de SS had
hem al een tijdje in het vizier, en ze waren ervan overtuigd dat
hij het aankon. Klaus wilde dit graag geloven en maakte op zijn
beurt het verhaal aan zijn Sylvi nog mooier: uitverkorene,
moed herkent moed, uitzonderingspositie, snelle loopbaan,
uitstekende arbeidsomstandigheden. Ja, zijn besluit stond
vast. Wat hem betrof konden ze onmiddellijk hun schamele
uitzet inpakken en vertrekken. Hij keek haar aan met vurige
ogen. Zijn trillende handen pakten de hare en met lichte druk
maakten ze haar duidelijk dat er geen andere keuze was. Dit
werd zijn missie. En hoewel Sylvi niet veel ophad met de SS, liet
ze zich overtuigen. Als dit zijn hart sneller deed kloppen, dan
zou het ook haar bloed sneller doen stromen. Drie maanden
later, in mei 1937, toen Sylvi haar diploma op zak had, vertrokken ze naar Oranienburg.
    Natuurlijk was de toekomst hun rooskleuriger voorgespie-

geld dan de realiteit behelsde. Het huis was slechts een appartement, de mooie meubels die er zouden staan bleken oud en afstands, en de kazerne Sachsenhausen, waar Klaus was aangesteld, was nog in aanbouw. Toch leek deze eerste, verantwoordelijke baan hem gelukkig te maken.

Tijdens de vele zonnige dagen van die lente deed Sylvi haar best om haar nieuwe woonplaats te leren kennen. Oranienburg was een rustige kleine stad waar de meeste bewoners de SS'ers met vriendelijkheid benaderden. Ze voelde zich er op haar gemak en al snel vond ze een baan aan de plaatselijke lagere school. Na de zomer zouden de kinderen met hun zongebruinde lijfjes in de schoolbanken klimmen. Ze verheugde zich er enorm op en besloot om haar laatste paar dagen voor de vakantie te benutten om zich voor te bereiden op haar nieuwe taak. Ze trok eropuit om wat schrijfgerei en boeken te kopen in Berlijn. En passant zou ze haar schoonmoeder bezoeken, die zoals altijd in haar donkere woonkamer de uren voorbij zag kruipen. Even op bezoek, zo had Sylvi zich voorgenomen. Om nog eens extra te ervaren wat een verademing het was om in haar eigen lichte appartement te wonen. Om niet meer te hoeven worden meegesleurd in de verstikkende somberheid van Klaus' ouderlijke woning. Doden zullen altijd blijven rondzwerven als je niet de moed hebt om de gordijnen en de vensters te openen om ze te bevrijden. Maar de moeder van Klaus wilde blijkbaar bewust de dolende ziel van haar man bij zich houden.

Terwijl Sylvi op het station op de trein naar Berlijn stond te wachten, stopte naast haar een goederenwagon. Althans, dat dacht ze. Ze schrok van de armen die uit het treinstel staken en haar bijna konden aanraken. Noeste koppen keken haar vanachter de tralies aan. Werklui, zo redeneerde ze. Maar toen

53

ze zag dat de eerste kerels die uit de trein stapten geüniformeerde SS'ers waren, kreeg ze het vermoeden dat dit niet zomaar een transport was. Onder veel verbaal geweld werd de mannen bevolen om uit te stappen en rijen te formeren. Een van hen kreeg met de achterkant van een geweer een klap tegen zijn hoofd toen hij zich net iets te veel buiten de denkbeeldige lijn begaf. Sylvi kreeg het gevoel dat het ongepast was om toe te kijken hoe deze gevangenen werden vermaand, maar de aantrekkingskracht van dit schouwspel was te groot. Van schuin onder haar zonnehoed keek ze in de gezichten van de veelal jonge gevangenen. Wat zouden ze misdaan hebben? Waren het zware criminelen? Waren het communisten? Inmiddels kwamen nog meer SS'ers via de trappen het perron op gelopen. Zou het kunnen dat Klaus daarbij was? Ze zag hem elke ochtend in zijn gesteven uniform weggaan. Een kus op haar wang, nog een paar lieve woordjes, pet onder zijn arm en weg was hij. Maar hem nu tegenkomen zou lijken op voyeurisme. Op overspel. Ze trok haar zonnehoed nog iets schuiner over haar gezicht en dwong zichzelf de andere kant op te kijken. Naar de ijzeren rails waarvan het eind niet in zicht was. Naar het wachtende gezin naast haar. De twee kinderen die tegen de benen van de moeder aan stonden. De vader die met zijn jasje over zijn arm naar het lege spoor stond te turen. Hij trok aan zijn stropdas. Het was warm, ja. Benauwd. Gelukkig, daar kwam hun trein. Opluchting bij de vader. Sylvi deed haar hoed af en wuifde er haar gezicht koelte mee toe. Het snerpende geluid van de remmen overstemde de commanderende SS'ers en de schuifelende mannen. Net voordat ze instapte, keek ze nog even om. Niet bewust, als in een reflex. Met haar tas over haar schouder, haar hoed in haar ene hand, haar andere hand geklemd om de koele hendel van de deur, keek ze om en zag een gezicht. Uit die grote groep gevangenen hadden haar ogen zich op dat ene hoofd gericht. Ouder, magerder, maar onmiskenbaar de jongen met wie ze haar hele jeugd had doorgebracht. Jürgen. Hij ving haar blik en de herkenning volgde onmiddellijk. Hij opende zijn mond. Zij schudde 'nee'. Wendde zich af en trok zich omhoog in de wagon. 'Sylvi!' hoorde ze hem roepen. Ze bleef 'nee' schudden. Lichtjes, onopvallend. Onzichtbaar. Ze stond tussen de harmonicadeuren die de twee treinstellen met elkaar verbonden en probeerde met het 'nee' van haar gezicht haar hartslag te laten dalen.

Toen ze die avond terug was in Oranienburg en een feestmaal van met gehakt gevuld deeg had gemaakt, waren de zenuwen nog steeds niet uit haar lijf. Klaus zei niets over het transport, dus waarschijnlijk was hij er niet bij geweest. Maar zeker weten deed ze het niet. Hij liet sowieso weinig los over zijn werkzaamheden. Als ze hem er weleens naar vroeg, zei hij kortaf: 'Dat is beroepsgeheim.' Maar soms, als ze samen in bed lagen en het licht uit was, begon hij ineens te praten. Over de slechtheid van sommige mensen. Over het communistische kwaad dat uitgeroeid moest worden en over een joodse vrouw die bij hoog en bij laag volhield dat ze katholiek was. Maar zijn stem brak regelmatig. Alsof hem de kracht ontbeerde de woorden uit te spreken. Sylvi had het gevoel dat in die kleine momenten waarin hij zijn keel schraapte, het ware verhaal werd verteld.

Meestal eindigde hij zijn monologen met: 'Jij kunt niet weten, Sylvi, hoe groot het kwaad is dat in mensen steekt. Maar ik zal je ertegen beschermen. Daar kun je op vertrouwen.' Ze dacht aan Jürgen en vroeg zich af welk kwaad er in hem schuilging. Ze waren buren geweest en zolang ze zich kon herinneren had ze met hem gespeeld. Dagenlang zoeken naar een schat. Kikkers laten rondspringen in de minivijver die ze zelf hadden aangelegd. Hun geheime 'omgekeerde' taal. Verstoppertje. Spoorzoekertje. Pas toen ze allebei adolescenten waren was hun vriendschap bekoeld. Als ze eerlijk was, moest ze toegeven dat de verwijdering voornamelijk van haar was uitgegaan. Ze had geprobeerd het voor zichzelf goed te praten door te stellen dat meisjes nu eenmaal op jongere leeftijd volwassen worden dan jongens. Dat ze eerder geïnteresseerd zijn in de wereld om zich heen. Maar als ze keek naar zijn getergde hoofd op zijn slungelige jongenslijf, wist ze dat hij zich verraden voelde. Het schuldgevoel dat dat bij haar teweegbracht, maakte dat ze hem nog meer ging mijden. Tegen de tijd dat ze ging studeren in Berlijn had ze geen enkel contact meer met hem gehad. En vandaag had ze hem dus opnieuw verraden.

'Ik ben met de trein naar je moeder geweest.' Ze liet de woorden quasi-nonchalant uit haar mond komen. Klaus at door zonder op te kijken. 'Het was druk op het station.' Weer geen reactie. Als hij haar met haar grote witte hoed had gezien, zou hij nu toch wel iets laten merken. Ze ging nog een stap verder. 'Volgens mij kwam er een nieuwe groep gevangenen aan.' Dit was het moment dat hij van zijn bord opkeek. Het leek alsof hij kwaad wilde worden op haar. Zoals de laatste tijd wel vaker gebeurde als zij te ver doorvroeg. Maar in plaats daarvan nam hij een slok van zijn bier, zette zijn glas rustig neer en sprak beheerst zijn woorden uit. 'Er zijn er vandaag weer een heleboel overgeplaatst naar ons. Ze komen uit concentratiekamp Sachsenburg, bij Chemnitz. We hebben er nu meer dan drieduizend. Dat betekent extra hard aanpoten om dat schorem onder controle te houden.' Hij nam een grote hap en kauwde stevig. Ze wist nu zeker dat hij haar niet had gezien op het station. Dat hij niet had gehoord hoe een van de gevangenen haar naam had geroepen. Ze zou hier opgelucht over moeten zijn, maar de vage pijn in haar buik ging niet weg. Waarom gedroeg Klaus zich zo stoer? Tegenover haar was dat toch niet nodig. Zo kende ze hem niet. Hij was begripvol en lief geweest de eerste tijd dat ze samen waren. Of was dit wat er altijd gebeurde met huwelijken? Ze zuchtte. Het leek alsof hij haar gedachten had gehoord. Hij legde zijn hand op haar arm en zei: 'Je hoeft je geen zorgen te maken, lieveling. De kans dat die lui uitbreken is minder dan nul.'

'Wat hebben die mensen eigenlijk gedaan dat ze voor straf het kamp in moeten?'

Sylvi's vraag stak hem. Hij trok zijn hand terug en keek haar fel aan. 'Je weet dat ik daar niet over mag praten. Maar ga er maar vanuit dat het het grootste schorem is dat er op deze aardbol rondloopt! Het zijn landverraders, allemaal!'

Mijn vader, die geboren is in 1934, zei altijd dat de Tweede Wereldoorlog zijn leven voorgoed heeft veranderd. Het leek me nogal een open deur. Elke week moesten we wel een keer aanhoren hoe hij een dolle stier op de Duitsers had afgestuurd. De billen van een van de soldaten waren lekgeprikt en geen enkele Duitser heeft ooit nog in de buurt van de boerderij durven komen, zo vertelde mijn vader trots. De wereld was misschien veranderd, maar mijn vaders leven op de boerderij heeft altijd stilgestaan. De oorlog was een welkome afwisseling voor hem. Waar had hij die daaropvolgende jaren anders over moeten praten?

Mijn oma heeft me weleens in mijn oor gefluisterd dat papa helemaal geen held was. Dat hij in zijn broek had gescheten toen de Duitsers hem de weg hadden gevraagd. Misschien worden de beste helden geboren in de verhalen achteraf. In wat ze hadden kunnen doen als ze de kans hadden gekregen.

Ik leg het boek op het nachtkastje en sta op uit het krakende bed. Van de buitenkant leek dit hotel heel wat. Vanbinnen is het oud en lelijk. Erfgoed van het communisme. De wereld is niet meer hetzelfde na het communisme, na de dictatuur, na de hongersnood, de natuurramp, of de oorlog.

Het is zeven uur. Nu zou Monika toch wel thuis moeten zijn. Ik doe mijn jas aan en trek de koffer mee naar de deur. Als er nu niemand is, hou ik alle spullen zelf en ga ik gewoon een potje vakantie vieren. Ik ga uit tot halfvijf 's ochtends, drink Duitse pullen bier en dan komt het vast goed met mij. En natuurlijk komt het goed met Monika, die in mijn spulletjes rondhangt. Misschien komen we elkaar tegen? Ladderzat.

In de lift naar beneden voel ik de brief in mijn jaszak. Ik trek hem uit de envelop en laat nog een keer mijn ogen over het papier glijden. Ik wil hem weer dichtvouwen als me ineens de datum opvalt. 24 april 2003. Dat is een jaar geleden. Waarom heb ik dat niet eerder gezien? Het is vandaag 14 mei. Ik was ervan uitgegaan dat deze brief drie weken geleden geschreven was. Ik kijk naar de stempel op de postzegel. De datum is weggevallen. Het kan zijn dat Charlene, de briefschrijfster, zich vergist heeft. Maar het zou ook kunnen dat deze koffer al een jaar zoek is.

Ik lever mijn sleutel in bij de portier en loop naar buiten. Het is opgehouden met regenen. Een lage zon kleurt de gebouwen oranje. Ineens lijkt er synergie te bestaan tussen de huizen. Alsof het oude en het nieuwe hier samenkomen en deze plek compleet maken. Voorzichtig om niet in de plassen te stappen zigzag ik over het pad naar mijn bestemming. Tweede straat links, en dan meteen naar rechts. Daar woont ze.

Voor de deur van het appartement merk ik dat ik minder nerveus ben. Ik ben hier al geweest. Een oude bekende, dat ben ik. Het zal een opluchting voor Monika zijn dat het mysterie van de verdwenen koffer wordt opgelost. En ik heb een goede daad verricht.

Nog geen vijf seconden nadat ik op de bel heb gedrukt, klinkt er een mannenstem. 'Hallo?' Ik schraap mijn keel en probeer de in het Duits geoefende woorden zo accentloos mogelijk te laten klinken. 'Goedemiddag, eh... avond. Is Monika thuis?' Er valt een korte stilte. Ik praat door. 'Mijn naam is Elizabeth Koster. Ik heb de koffer die Monika kwijt is.'

'Wat is uw naam?' hoor ik door de intercom.

'Elizabeth Koster.'

'Monika is er niet, maar komt u even binnen. Derde etage en dan links.' De zoemer gaat. Ik duw de deur open en stap over de drempel. De koffer blijft haken achter de zware voordeur die zich automatisch sluit. Met kracht trek ik hem binnenboord. Boven hoor ik iets bewegen. Ik beklim de houten treden van de brede trap, de koffer meezeulend. Zachte voetstappen komen me tegemoet. 'Wacht maar, ik kom u helpen.' Het is dezelfde mannenstem, maar dan zonder het mechanische effect van de intercom. Halverwege de tweede trap ontmoeten we elkaar. De slanke man met donkerbruin kort haar, T-shirt, trainingsbroek en sportsokken, steekt zijn hand naar me uit. 'Hallo, Markus Brückner. Zal ik de koffer van u aannemen?' Hij kijkt me aan. Zijn ogen zijn groen, zijn wenkbrauwen donker. Zijn blik ernstig. Ik weet niet of het de bedoeling is dat ik meteen wegga. 'Als het niet uitkomt...'

'Jawel, jawel, komt u binnen.' Hij laat me voorgaan naar zijn appartement. Even krijg ik een raar gevoel in mijn buik. Waarom zou ik zomaar bij een vreemde binnenlopen? 'Ik ben juist blij dat u gekomen bent.'

Ik draai me naar hem om. 'Je.'

'Pardon?'

'Je. Zeg maar je.'

Er verschijnt een kleine glimlach om zijn mond. 'Dat doe ik. En jij ook. Entrez.'

Hij laat me binnen in een huis dat er stijlvol uitziet. Eigenlijk lijkt het qua indeling wel een beetje op onze – herstel – mijn woning op de bovenverdieping in Amsterdam-West. Dit is de uitvergrote versie. De zon schijnt door de hoge ramen aan de straatkant en geeft het interieur een roze gloed. Een grote tafel, met acht beige leren stoelen, in het achtergedeelte een donkerrode bank, leren fauteuil, salontafel en tv. Een vitrinekast met serviesgoed en glazen. Aan de muur een modern schilderij met het silhouet van een vrouw. Aan de andere kant twee foto's van New York.

'Excuses voor mijn outfit,' begint Markus. 'Ik wilde net gaan sporten.'

'Is het dan niet beter als ik een andere keer terugkom?'

'Nee, alsjeblieft niet. Ga toch zitten.'

Waar zou hij bedoelen, op de bank of aan tafel? Ik kies de stoel die het dichtstbij staat, ga op het puntje zitten en stoot keihard met mijn enkel tegen de tafelpoot. Ik laat niks merken. Markus glimlacht vriendelijk terwijl hij op de stoel tegenover me gaat zitten.

'In plaats van mijn eigen koffer...' kom ik ter zake, 'kreeg ik die van Monika, en dus...'

Hij onderbreekt me. 'Monika is verdwenen.'

'Wat zeg je?'

'Monika is er niet meer. Morgen precies een jaar geleden is Monika 's middags vanuit haar hotel in Londen in een taxi gestapt. Op Heathrow heeft ze het vliegtuig genomen naar Berlijn, maar...' Hij strijkt met zijn hand langs zijn slaap, wendt zijn blik af. 'Ze is nooit thuisgekomen. Na de ochtend van zondag 11 mei 2003, toen ze vertrok naar Londen, heb ik haar nooit meer gezien.' Zijn gezicht is strak gericht naar buiten, naar het licht, dat hem een gouden gloed geeft. Het duurt even voor de boodschap tot me doordringt.

'Wat erg. Goh, ik eh... ik weet niet wat ik moet zeggen.'

Hij richt zich weer tot mij. 'Je hebt haar koffer gevonden, dus er is hoop op een aanwijzing. Een teken. Iets van waaruit ik verder kan zoeken. Ik ben je ontzettend dankbaar voor je komst.'

Sylvi werkte nu een halfjaar op school als juf voor de zes- en zevenjarigen. Het lesgeven was duidelijk haar roeping en ze genoot er met volle teugen van. Een niet onplezierige bijkomstigheid was dat ze door de kinderen uit haar klas veel andere vrouwen van SS'ers ontmoette. Ze zagen er altijd even onberispelijk uit en Sylvi nam zich voor om zich ook netter te gaan kleden. Dat er Hoogduits gesproken werd, vond men erg belangrijk, merkte ze. De moeders keken duidelijk neer op de kinderen uit Oranienburg zelf die met een licht accent spraken. Dus ook in haar manier van praten werd Sylvi steeds zorgvuldiger. Ja, ze deed erg haar best om bij deze vrouwen in de smaak te vallen. Niet alleen omdat ze wist dat ze over de tong zou gaan bij deze gezinnen, maar ook omdat ze heimelijk hoopte dat er een leuk type bij zou zitten. Iemand met wie ze vertrouwelijk zou kunnen worden. Een echte vriendin.

Klaus deed ondertussen net zo zijn best. Op zijn verzoek werd er na elke maaltijd een aantal alinea's voorgelezen uit *Mein Kampf*, hij gaf Sylvi meer huishoudgeld om de maaltijden rijker te maken en af en toe stopte hij haar iets extra's toe voor een jurk of schoenen. Een keer stuurde hij haar echter terug naar de winkel omdat hij haar jurk te frivool vond. Raar, want afgezien van wat kleine ruches was er niets wat zou kunnen

duiden op uitbundigheid. Ze probeerde hem zo weinig mogelijk aanleiding te geven om kwaad te worden. Over zijn werk
vroeg ze niets meer en het beeld van Jürgen probeerde ze zo
diep mogelijk weg te stoppen. Een enkele keer schoot hij uit
zijn slof. Als het huis niet goed was opgeruimd. Of wanneer de
lijst met de foto van Adolf Hitler scheef hing. Dit gebeurde vaker dan ze wilde. Ze probeerde er altijd aan te denken als de ramen open hadden gestaan, maar tot haar eigen ergernis vergat
ze het soms. Toch, op deze kleine dingetjes na, verliep haar leven zoals ze het zich ooit gewenst had. Ze hield van Klaus en
van de kinderen uit haar klas. Heimelijk hoopte ze op een eigen kindje, waarvoor ze zo nu en dan al stiekem iets kocht van
het geld dat Klaus haar toestak. Een kruippakje, een broekje
van zachte badstof, een mutsje zo klein dat je je nauwelijks kon
voorstellen dat het een mensje paste. Met een glimlach verstopte ze de spullen achter haar ondergoed in het dressoir, een
plek waarvan ze zeker wist dat Klaus daar nooit keek. Ja, alles
leek goed te gaan. Maar toen kwam die brief.

Na een lesdag en nog wat nakijkwerk kwam ze voldaan terug uit school. Uit de brievenbus pakte ze de envelop met het
handschrift van haar moeder erop. Verbaasd was ze niet, haar
moeder stuurde wel vaker een briefje. Terwijl ze de trappen opliep maakte ze de envelop open. Toen ze het papier eruit haalde, viel er een klein kaartje uit, dat een eindje naar beneden
dwarrelde. Ze huppelde de treden weer af en raapte het op. In
haar moeders handschrift stond geschreven: *Lieve Sylvi, deze
brief heb ik van Tante Elsa gekregen. Of ik hem aan jou wilde door-
sturen. Liefs, je moeder.* Midden op de trap bleef Sylvi stilstaan.
Tante Elsa, dat kon maar één iemand zijn. Ofschoon ze geen
echte tante was, noemde Sylvi haar haar hele leven al zo. Tante
Elsa, de moeder van Jürgen. Beneden in de hal hoorde Sylvi de
deur opengaan. Zenuwachtig stak ze de papieren in de tas die
om haar schouder hing en liep naar boven. Haar vingers tril-

den zo hevig dat ze moeite had om het slot open te krijgen. De oude bovenbuurman kwam gestaag dichterbij. Ze moest zich normaal gedragen. Geen enkele verdachtmaking. Waarom ook? Ze had niets gedaan. Helemaal niets. Ze kende alleen iemand van vroeger. Iemand die nu toevallig in het kamp zat. Nou en. Daar kon zij toch niets aan doen? Gelukt. Ze had de sleutel een halve slag gedraaid en de deur klikte open. 'Goedendag, mevrouw Heinrich,' klonk de zwaar hijgende stem van de buurman. 'Goedendag, meneer Von Kessel,' zei ze vriendelijk terug. Toen liep ze haar woning binnen en sloot de deur achter zich.

Ze hing haar mantel aan de kapstok, zette haar tas op de keukentafel en ging zitten. Terwijl ze de brief uit de tas haalde en hem langzaam openvouwde, nam ze zich voor om, hierover niets tegen haar man te zeggen, wat er ook in stond.

11 februari 1938

Lieve Sylvi,

Zo jammer was het toen we elkaar al weer een hele tijd geleden zagen op het station, en we beiden geen tijd hadden om met elkaar te spreken. Even bijkletsen als vanouds. Lachen over de streken die we uithaalden. Inmiddels ben ik helemaal niet meer in de gelegenheid om met wie dan ook streken uit te halen (ha, ha), want ze hebben me opgesloten.

Het spijt me, beste Sylvi. En ik ben je dan ook een verklaring schuldig voor mijn dwalingen. Ik zat nog op de kunstacademie toen ik een paar politiek gevoelige tekeningen heb gemaakt. Ik was jong en naïef en had niet door dat dit als antifascistische propaganda werd gezien. Dus ben ik opgepakt en zit ik nu mijn welverdiende straf uit. Ik werd tewerkgesteld in Sachsenburg, maar afgelopen zomer ben ik overgeplaatst naar Sachsenhausen in Oranienburg.

Ik heb vernomen dat jij getrouwd bent en tegenwoordig niet meer in Berlijn woont. Gefeliciteerd! Met je huwelijk en natuurlijk ook met je verhuizing. Ik weet niet waar je terechtgekomen bent, maar ik hoop dat je het er naar je zin hebt.

Met mij gaat het ook erg goed. Hoewel ik de stad natuurlijk niet kan zien van hieruit, hoor ik van velen dat Oranienburg een aardig plaatsje is. In elk geval is Sachsenhausen een prima plek. Toen we hier aankwamen werden we feestelijk ontvangen en hieven we ook zelf urenlang de armen in de lucht van pure vreugde. Bovendien wordt er heel netjes omgegaan met de verschillende delinquenten. Ze zijn in groepen verdeeld en de groep waartoe ik me mag rekenen is die van politieke gevangenen. Onze groepskleding wordt opgesierd met een mooie rode driehoek. We werken hier hard aan de opbouw van het kamp, waarin, naar ik vernomen heb, veel lotgenoten zullen komen wonen. Dat wordt nog gezellig. Straks wil ik niet eens meer weg.

Toch hoop ik je ooit weer terug te zien, Pinky. Want je weet het hè, de levenskaart zal ons uiteindelijk naar de diep begraven schat leiden. Dat speelden we altijd in Brandenburg an der Havel. Herinner je je dat nog? Groot is klein.

Hartelijke groeten,
Jürgen

PS Iedere bewoner hier is genummerd. Mijn nummer is 1378. Voor het geval je me eens wilt bezoeken (grapje) of een brief wilt schrijven. Mijn moeder heeft het adres.

Sylvi begreep niks van deze brief. Waarom schreef hij niet gewoon dat ze elkaar op het station van Oranienburg ontmoet hadden? Dat er helemaal geen gelegenheid was geweest om elkaar te spreken? En dat hij wist waar ze terecht was gekomen?

Dat zou hij toch allang van zijn moeder vernomen hebben. Was het misschien om haar niet in de problemen te brengen? Het was natuurlijk vrij beschamend dat zij een jeugdvriend bleek te hebben die als crimineel opgesloten was in het kamp waar haar man werkte. Waarschijnlijk had hij het daarom zo geformuleerd, dacht Sylvi opgelucht. Fijn, dat hij rekening hield met haar huwelijk. Fijn ook dat hij het daar zo naar zijn zin had. Klaus bleek toch gelijk te hebben; ze behandelden de gevangenen beter dan ze verdienden. Dat ze allemaal een nummer droegen vond ze wel vrij cru. En dat verhaal van die armen die ze uren in de lucht hadden gehouden begreep ze niet. Waarschijnlijk een grapje van hem. Nou ja, ze zou wel een briefje terug sturen. Naar tante Elsa, zijn moeder. En dan zou ze in bedekte termen duidelijk maken dat het toch niet zo verstandig was om haar te schrijven. Ja, zo zou ze het aanpakken. En na het uitzitten van zijn straf zouden ze elkaar wellicht nog eens opzoeken. Zo lang kon die straf tenslotte niet duren. Politieke provocatie was natuurlijk fout, maar langer dan een jaar werd daar toch meestal niet voor gegeven.

Sylvi keek op de klok. Het was kwart over vier. Nog twee uur en dan zou Klaus uit zijn werk komen. Ze kon maar beter de brief meteen verbranden, zodat hij de rook niet meer zou ruiken. Ze pakte de lucifers van de schouw en liep naar het granieten aanrecht. Ze legde de brief, het kattebelletje van haar moeder en de envelop in de gootsteen. Ze streek met de lucifer langs de ruwe zijkant van het doosje. Het stokje vatte vlam. Terwijl ze met het vuur dicht bij het papier kwam, viel haar oog op die ene zin: *De levenskaart zal ons uiteindelijk naar de diep begraven schat leiden.* Waarom haalde hij die herinnering op? Het schatgraven was een serieuze zaak geweest vroeger. Het had hen dagen zoet gehouden. Een levenskaart maken. Een zachte plek in de grond vinden om een diep gat te kunnen graven. De plankjes aan elkaar timmeren en hem beschilderen als een echte schatkist. En dan de inhoud erin stoppen. Dat deden ze altijd apart van elkaar. Zodat ze niet van elkaar wisten welke schatten ze erin stopten. Geheimen in papier gewikkeld. Stenen, veren, een zilveren knoop en een oude munt. Voorwerpen die voor elk van hen een heel bijzondere betekenis hadden. En dan, als de levenskaart af was, gingen ze beiden het bos in. Het bijna-laatste stuk werd hij geblinddoekt, het laatste stuk zij. Zo wist geen van tweeën meer waar ze waren en kon de zoektocht beginnen. Via ingewikkelde en dubbelzinnige aanwijzingen op de kaart werd de schatkist ten slotte gevonden. Een heel gedoe was het. Maar de spanning die het opleverde en de beloning die ze uiteindelijk kregen in de vorm van hun eigen diamanten, was het het helemaal waard.

Sylvi voelde de vlam tegen haar vingers komen. Snel wapperde ze met haar hand. Het vuurtje doofde, maar Sylvi bleef met haar hand bewegen. Ze had het niet door. Haar hele lichaam leek ineens te branden. Het zweet brak haar uit. *Groot is klein. En klein is groot!* Hun geheime code. De woorden hadden allemaal een omgekeerde betekenis gehad. Dat ze daar niet eerder aan gedacht had. Deze hele brief was geen leuk, opgewekt stukje tekst. Het was bloedernst. Het was een noodkreet aan haar persoonlijk. Waarom? Hij zou toch binnen afzienbare tijd weer vrijkomen? Wat was er zo ernstig dat hij haar via haar moeder had geschreven? Ineens realiseerde ze zich haar naïeve conclusie dat hij haar huwelijk had willen beschermen, door haar via een omweg deze brief te sturen. Hij wilde zichzelf beschermen en haar een mogelijkheid bieden om hem via dezelfde weg te antwoorden. Omdat de brieven natuurlijk gelezen werden voor ze het kamp verlieten. Stom dat ze daar niet eerder aan gedacht had. Stom, stom. Nog een keer. En nog een keer las ze de brief over. Het nummer schreef ze op een klein papiertje, dat ze verstopte tussen de babykleertjes achter in de lade. Halfvijf. Hoewel ze nog tijd genoeg had, kreeg ze ineens het gevoel dat ze erg moest opschieten. Stel je voor dat haar man eerder thuiskwam dan verwacht. Ze stak opnieuw een lucifer aan en liet het papier vlam vatten. Pinky, dacht ze, terwijl ze keek naar de omhoogschietende vlammen. Zo had hij haar genoemd vroeger. Omdat ze volgens hem net zo klein was als de pink van een reus.

De ramen hadden een uur tegen elkaar opengestaan, om de lucht van verbrand papier te verdrijven. De temperatuur in de kamer was behoorlijk gedaald. Ze deed een extra blok hout in de kachel en begon aan het eten. Braadworst met aardappelen en uien. Ze moest opschieten. Toen Klaus thuiskwam, om exact kwart over zes, had ze net de laatste vork op tafel gelegd. Ze knoopte haar schort af en liep naar hem toe om hem te begroeten. 'Hoe was je dag, lieveling?' Hij mompelde iets onverstaanbaars. Ze kuste hem op de wang en hielp hem uit zijn jas. Terwijl ze de jas aan het knaapje hing in het kleine halletje, riep ze: 'Ga maar lekker zitten. Er staat worst op het menu.' Hoewel haar handelingen en haar woorden precies dezelfde waren als die van elke dag, had ze het gevoel een toneelstukje op te voeren. Ze keek naar zichzelf in de spiegel tegenover de kapstok, streek de paar plukken die uit haar opgestoken donkerblonde haar staken naar achteren en liep terug naar de keuken. Klaus ging net zitten. 'Wat wil je drinken? Bier, water of limonade?'

'Waarom let je daar nou niet op?' Zijn stem klonk afgemeten.

'Pardon?' Ze had geen idee waar hij het over had.

'De lijst. Hij hing weer scheef. Ik heb hem net recht gehangen.' Geërgerd keek hij haar aan.

'O eh… sorry,' stamelde Sylvi. 'Het moet gekomen zijn door de ramen die openstonden.'

'Ramen die openstaan in februari? Wat is dat nou weer voor een onzin!'

Sylvi schrok. Hoe kon ze nou zo stom zijn. 'Het was... Ik bedoel, het kwam door de stank van de uien dat ik even wilde luchten.' Ze realiseerde zich dat dit de eerste keer was dat ze echt loog tegen haar man. Tot dusver had ze weleens wat verzwegen, maar liegen, nee, dat deed ze niet. Daarvoor geloofde ze te veel in de waarheid en in God.

'Doe maar een biertje,' zei hij mat. 'Maar dit is echt de laatste keer dat ik die foto scheef heb zien hangen, hoor je me? Stel je voor dat ik een keer met wat collega's binnenkom.' Sylvi knikte. En ze nam zich voor om dit inderdaad nooit meer te laten gebeuren.

Ik doe het licht uit en trek de synthetische lakens over me heen. Ik ben helemaal vergeten tegen Markus te zeggen dat het boek ook in de koffer zat. Morgen doen. Onder mijn gesloten oogleden spoelt de film van die avond terug. Beelden van zijn bezorgde gezicht, de lege tafel, zijn verzorgde handen, het schilderij aan de muur.

We hebben nog lang nagepraat, Markus en ik. Ongelooflijk. Hoe vreselijk moet het zijn als je vriendin na twaalf jaar van de ene op de andere dag niet meer thuiskomt. Volgens hem hadden ze een goede relatie. Was er niets wat erop duidde dat ze ongelukkig was. Ze waren net een maand daarvoor verhuisd van Leipzig naar Berlijn. Markus had er een nieuwe baan gekregen als bedrijfsarts bij een multinational. Hoewel Monika nog steeds in Leipzig werkte, bij een groot farmaceutisch bedrijf, leek ook zij het leuk te vinden om te verhuizen. Althans, dat is zijn verhaal. Maar waarom is ze dan verdwenen? Er was een anonieme tip binnengekomen dat ze in Zuid-Italië bij een minnaar haar intrek genomen zou hebben. Een maand lang heeft hij alle Zuid-Italiaanse dorpen en steden uitgekamd. Van Napels tot Palermo. Het heeft niets opgeleverd. Hij heeft haar vriendinnen onderworpen aan een kruisverhoor, zelfs haar collega's heeft hij gesmeekt om informatie. Maar ook zij wisten niets. Twee maanden voor de verdwijning van Monika was haar moeder gestorven na een ongelukkige val van de trap. Haar vader was al in 1998 gestorven aan kanker. Broers of zussen had ze niet. Zonder familie leek het alsof Monika nooit had bestaan. Alleen haar echtgenoot, Markus, bleef over. Een vertwijfelde man, op zoek naar enig spoor van zijn geliefde. Tragisch.

Ik draai me op mijn andere zij. Op de muur bewegen donkere schaduwen. Veroorzaakt door de dunne gordijnen die heen en weer worden gewiegd door de wind. Ik zou het raam kunnen sluiten. Ik kan ook proberen mee te deinen. Om de zwarte vlekken te volgen, van links naar rechts.

De ene tragedie doet de andere verbleken. Mijn leed is nog maar zo klein. Het verbleekt bij zijn verdriet. Weer draai ik me om. Ik kijk naar de spoken die deze kamer laten bewegen. Zijn het rondzwervende wezens? Is het Monika's onrustige ziel? Pff, wat een hoogdravend gelul.

Een van mijn lievelingsspelletjes uit mijn jeugd was het oproepen van geesten. Samen met een paar vriendinnen legden we het alfabet in een kring, de cijfers van nul tot en met negen, en 'ja' en 'nee'. In het midden van de cirkel zetten we een omgekeerd glas. Vervolgens moest iedereen zijn wijsvinger op het glas leggen en dan konden we beginnen. 'Beste geest, wij zijn hier samengekomen om een paar vragen te stellen, vindt u dat goed?' We hadden al wel begrepen dat je de doden met respect moest behandelen. Langzaam ging het glas naar de 'ja'. Dit was het startsein om door te gaan met onze brandende vragen. 'Is Hans verliefd op Fleur?' 'Nee.' 'Is Angelien eigenlijk een pot?' 'Ja.' Hilariteit alom. 'Met wie gaat Lizzy later trouwen?' Het glas vormde letter voor letter de naam die ik nu nog steeds weet: 'Melvis.' Mijn vriendinnen lachten hard. Ik zei dat het opnieuw moest omdat de geest een fout had gemaakt. 'Het is "Elvis" of "Melvin", maar "Melvis" bestaat niet.' 'Gewoon hard zoeken,' zei Fleur plagerig.

Even later vroeg ik baldadig waaraan ik ooit dood zou gaan. Het antwoord was 'brand'. Op de vraag of ik dan jong was of oud, gaf de geest het antwoord 'jong'. Ik trok mijn vinger van het glas en wilde stoppen. Maar mijn vriendinnen vonden me een lafbek en gingen door: 'Hoe jong dan?' '34,' liet de geest weten. 'O, dat is hartstikke oud!' riep ik vanaf de zijlijn.

Ik zou hier waarschijnlijk nooit meer aan hebben gedacht, als Fleur me niet dat verjaardagskaartje had gestuurd met de tekst: 'Gefeliciteerd met je vierendertigste verjaardag. En pas op met vuur!' Over twee weken ben ik weer jarig. Daarvóór moet ik eerst nog met Melvis trouwen en vervolgens omkomen in een brand. Het zal mij benieuwen.

Buiten is het leven tot stilstand gekomen. Geen getoeter meer. Geen razend verkeer. Zingende wind. Ook de schimmen in mijn kamer neigen er zoetjes naar hun dans te staken. Ik sluit mijn ogen.

Gevangene nummer 1378, Jürgen Schumann, *schreef ze boven aan het papier*. Het is inderdaad jammer dat we elkaar niet hebben kunnen spreken destijds op het station. Ik vind het erg spijtig dat je leven anders is gelopen dan je had verwacht. Toch is het goed dat je veroordeeld bent. Dat is de enige manier waarop je kunt leren van je fouten. Zo te horen ben je al aardig tot inkeer gekomen. Ik werk tegenwoordig als lerares. Mijn man is goed voor mij en hij geniet een gunstige aanstelling. Ik hoop dat je hard werkt, en als je zin hebt, mag je me best nog eens schrijven. Dat houdt een mens tenslotte op de been: een briefje zo nu en dan.

Met vriendelijke groet,
Pinky

PS Ja, natuurlijk denk ik ook vaak terug aan die goede oude tijd van de kinderspelletjes.

Deze eerste brief van Sylvi was eigenlijk vooral bedoeld als test. Pas als ze antwoord van Jürgen kreeg, zou ze er zeker van zijn dat hij haar brief ontvangen had. Haar woonplaats onthullen leek haar te riskant. Net zoals haar meisjesnaam. Of nog erger:

haar mans naam. Nee, nu zouden ze met geen mogelijkheid bij haar uit kunnen komen.

In de weken die volgden liep ze iedere dag met een droge mond en verhoogde hartslag naar de brievenbus. Toen haar man nachtdienst had, werd het helemaal een zenuwslopende handeling. Hij lag dan overdag op de bank of zat aan de keukentafel een puzzel te maken, als zij nonchalant zei dat ze even ging kijken of er nog post was gekomen. Toen ze na vier weken nog steeds niets ontvangen had, begon ze bijna te geloven dat ze zich het hele verhaal had ingebeeld. Het was gewoon een aardig briefje van hem geweest. Zonder bijbedoelingen. Niks bijzonders. Maar de eerste dag waarop haar man weer in de dagploeg werkte, lag er zo'n zelfde envelop van haar moeder in de bus. Hij was iets zwaarder dan de vorige keer. Ze liep de trappen op, ging snel haar woning in en terwijl ze met haar rug nog tegen de deur stond, scheurde ze de envelop open. Een ansichtkaart van haar moeder was het eerste dat ze zag. Snel gingen haar ogen over het vertrouwde handschrift. *'Voor mijn Sylvi. Een lieve groet van je moeder en ik hoop dat alles goed gaat daar. Ik vertrouw erop dat je de juiste dingen doet. Kus, mama.'* Kon haar moeder daar inderdaad op vertrouwen? Het leven was veranderd de laatste jaren. Sinds Hitler de scepter zwaaide in het land was de sfeer grimmiger geworden. Het leek alsof iedereen extra zijn best deed. De hele dag door. Klaus. Maar ook zijzelf. Want je mocht op geen fout betrapt worden. Ze trok de brief uit de envelop en begon te lezen.

Sachsenhausen, 15 maart 1938

Lieve Pinky,
Dank je wel voor je aardige brief. Het is inderdaad fijn om af en toe een berichtje te krijgen. Daar kan ik zo een hele week op

voort. Je hebt gelijk dat deze straf goed is voor mij. En ik zie nu in dat ik volledig foute denkbeelden had voordat ik in hechtenis werd genomen. Maar gelukkig ben ik hier tot betere inzichten gekomen.

Ik ben nog steeds aan het werk in de bouw. Het zijn lange dagen, maar als je ziet wat wij voor elkaar krijgen, dan zou je trots op ons zijn. Natuurlijk zijn er soms mensen die het niet volhouden. Maar dat zijn gewoon luie varkens die terecht stokslagen krijgen.

Op zondag zijn we vrij en genieten we van onze welverdiende rust. We praten wat, doen af en toe een spelletje en we maken de barakken schoon. Je zult niet geloven wat een zwijnenstal het wordt als we daar niet op letten. Door de smeerolie waarmee we onze schoenen poetsen worden de vloeren en de krukken nogal snel vies. Maar na een paar uur stevig doorschrobben is alles weer brandschoon.

De regels zijn hier heel duidelijk. Dat is prettig, want zo weet iedereen waar hij aan toe is. Ik geef je een voorbeeld: Als er een SS'er voorbijkomt, moet een gevangene altijd drie stappen achteruit doen. Hij moet de pet met de rechterhand, via de achterkant afnemen en hem in duim en wijsvinger houden. En dan met de handen langs de broeknaad buigen. Maar kijk niet te vriendelijk als je weer omhoogkomt, want dan zouden ze kunnen denken dat je hen uitlacht. Tja, daar is natuurlijk niemand dol op.

Sommige gevangenen zijn echt vreselijk. Ik heb geen idee waarom, maar ze weigeren zich te conformeren. Zo was er laatst een man die de leiding zo mateloos irriteerde dat een officier zijn pet over het prikkeldraad gooide en hem toen beval om het ding te gaan halen. Toen hij dat deed, wat natuurlijk niet echt de bedoeling was, omdat het een grap van de officier betrof, werd hij doodgeschoten. Ik snap het wel. Hij werkte zo op ieders zenuwen. Rechtvaardig dus. Maar voor de leiding niet altijd leuk om te doen. Gelukkig kreeg de officier een paar dagen vrij na dit incident, om een beetje te bekomen.

Zo, ik zal je niet langer vermoeien met mijn gevangenisverhalen.

Ik wens je een mooie lente toe en hopelijk tot schrijfs.

Jürgen

Sylvi had haar hand voor haar mond geslagen en staarde naar de woorden op het papier. Mijn god, Klaus was laatst zomaar drie dagen achter elkaar vrij geweest. Ze waren gaan picknicken in het bos en hadden weer eens een beetje ontspannen met elkaar kunnen praten. Nee, dat kon niet haar man zijn. Maar wat gebeurden er daar verschrikkelijke dingen. Zou het kunnen dat Jürgen overdreef? Dat het allemaal wel meeviel en dat het erger klonk voor een buitenstaander? Ze liep door het halletje naar de keuken en vouwde de brief dicht. Pas toen zag ze de stempel. Gecensureerd, stond er met grote letters op. Nee, hij overdreef niet. Waarom zou hij het risico nemen? Het was in werkelijkheid allemaal nog veel erger.

Ik ben een kwartier te vroeg in de brasserie op de Gendarmen-markt. Mijn handen liggen rusteloos in mijn schoot. Ze voelen klam. O ja, het boek. Ik mag niet weer vergeten om het terug te geven. Ik pak het uit mijn tas en leg het op tafel. Als de ober vraagt wat ik wil drinken heb ik de neiging om te zeggen: 'Doe maar een dubbele whisky.' Zoals in de film. Maar ik hou niet van whisky en mijn zenuwen beteugelen met alcohol lijkt me geen goed idee. Ik bestel een cappuccino.

Buiten zie ik Markus aan komen lopen. Hij draagt een grijs colbert, een lichtblauw overhemd en een donkere spijker-broek. In zijn hand heeft hij een bruine leren dokterstas. Als hij me ziet, steekt hij zijn hand op en komt gehaast binnenlo-pen. Alsof die laatste seconden er iets toe doen. 'Zat je al lang te wachten?'

'Nee, ik wist niet precies of ik het meteen zou kunnen vin-den, dus ben ik vroeg weggegaan.' Mijn Duits komt nog steeds stroef uit mijn mond. Als taai spek. Toen ik jong was, sprak ik het vloeiend. De Duitse televisie stond bij ons de hele dag aan. Ondanks mijn vaders gekanker over de Duitsers, keek hij bij voorkeur naar de ARD en de ZDF, om de Krimi's en Schlager-festivals.

Markus gaat zitten op de stoel tegenover me. 'Wat wil je

drinken?' Op dat moment zet de ober mijn cappuccino op tafel. 'O, jij hebt al. Voor mij een dubbele espresso, graag.'

De ober loopt weg. Ik voel me ongemakkelijk. Van de vertrouwdheid die gisteren in de steeds donker wordende huiskamer is ontstaan, is nu niets meer over. Of ben ik de enige die zich niet op zijn gemak voelt? Hij ziet er ontspannen uit. Tekst.

'Ik was vergeten je gisteren dit boek te geven. Het zat ook in de koffer van Monika.'

Markus' blik verstrakt meteen. Had ik misschien moeten wachten met dit onderwerp? Een slechte timing heb ik altijd gehad.

'Dank je...' Hij pakt het aan en aait even over de kaft. 'Dit boek was als een dagboek voor haar. Maar dan met voorgedrukte woorden.' Om zijn mond verschijnt een glimlach. 'Ze geloofde dat het haar geluk bracht.' Als hij me aankijkt, lijkt het even alsof hij naar haar kijkt in plaats van naar mij. Zijn blik is wazig, zijn stem intiem. 'Het gaat over de meest wezenlijke strijd op aarde. Die tussen goed en kwaad...'

De ober onderbreekt hem. 'En een dubbele espresso voor meneer. Alstublieft.'

'Dank u. Hoeveel is dat?' Markus legt het boek op tafel en pakt zijn portemonnee uit zijn achterzak. Als hij heeft betaald, kijkt hij me bijna verontschuldigend aan. 'Ik kan niet zo lang blijven.'

'Ja, ja, natuurlijk.' Ik twijfel. 'Als het je niet uitkomt, dan geeft dat niks, hoor.'

'Nee, nee, het komt wel uit. Heb je altijd in Amsterdam gewoond, Elizabeth?' Hij heeft onthouden dat ik in Amsterdam woon, maar niet dat ik liever Lizzy genoemd word.

'Zeg maar Lizzy. Zo noemt iedereen me.' Ik blaas een pluk haar uit mijn gezicht. 'Ik ben geboren in een klein dorp in de provincie Brabant, maar nu woon ik alweer vijftien jaar in de stad.'

'Amsterdam is te gek. Ik ben daar een keer geweest met mijn studiegenoten.' Ik hoop niet dat hij nu over joints en hoeren begint. 'Ik geloof dat we minimaal de helft van alle kroegen hebben gehad.' Het valt mee. Zijn lach klinkt grappig. Zwaar bulderend met af en toe een uitschieter naar boven.

'Ja, uitgaan kun je er goed, ha ha.' Het uitbundige lachen vervaagt weer tot een beleefde glimlach van twee vreemden. Hij neemt een slok van zijn koffie en zet beheerst het kopje terug op de schotel.

'Lizzy...' hij spreekt mijn naam langzaam uit. Zijn diepgroene ogen maken me verlegen.

'Markus...' doe ik hem na.

'Je lijkt op haar.'

Ik kijk naar mezelf door zijn ogen. Een vrouw die de koffer brengt van zijn verdwenen vrouw, en die als twee druppels water op haar lijkt.

'Het spijt me. Dit moet nogal confronterend voor je zijn.'

Hij schudt zijn hoofd. 'Niet op die manier. Maak je geen zorgen. Het is alleen...' Hij stokt. 'Monika had bruine ogen. Ik moet steeds naar jouw lichte ogen kijken. Ik verbaas me meer over het ene element waarin je niet op haar lijkt dan over alles waarin je wel op haar lijkt. Raar, hè?'

'Op zich is het wel logisch,' zeg ik. 'Alles wat herkenbaar is voelt vertrouwd, al het andere is vreemd en afstandelijk.'

Hij knikt. Zijn blik zakt naar het boek op tafel. 'Zat er nog iets in?'

'Pardon?'

'Het boek, zat er nog een brief in of een kaartje?'

'Nee, niet gezien.'

Hij zucht.

'Ik ben erin begonnen. Hopelijk vind je dat niet erg.'

'Nee, hoor. Het is een mooi verhaal.'

'Heftig wel.'

'Ja.'

'Is het echt gebeurd?'

'Het schijnt van wel.'

Ik kijk naar zijn handen die spelen met de suikerklontjes. Hij heeft lange vingers. Verzorgde nagels. Hij stapelt de drie klontjes op elkaar en schuift ze naast zijn cappuccino. Dan neemt hij weer een slok.

'De schrijver, Andreas Hoffmann, is omgekomen, las ik.'

Hij verslikt zich bijna. 'Ja... klopt.' Hij schraapt zijn keel.

'Kende je hem?'

'Nee, ik niet. Maar hij was Monika's oom.'

'Wat rot voor haar...'

'Ongeveer een jaar na zijn motorongeluk ontmoette ik Monika. Ze was nog steeds heel verdrietig over de dood van haar oom.' Hij pakt de bierviltjes die slordig op tafel liggen en legt ze op elkaar. 'Die twee waren totaal aan elkaar verknocht. Andreas was een echte vrijbuiter. Dat wil zeggen, voor zover dat kon in voormalig Oost-Duitsland. Hij was ongetrouwd, had geen kinderen. Monika was zijn oogappel. Hij leerde haar over de natuur, stimuleerde haar om meer te gaan schilderen, nam haar mee op reis. Polen, Tsjechië, Rusland.'

'Schilderde ze veel?'

'Toen ze klein was wel. Ze had het talent van haar moeder, Andreas' zus. Eigenlijk wilde Monika naar de kunstacademie, maar van haar vader moest ze een gedegen studie volgen. Dus het werd scheikunde. Het schilderen verzandde. Als ze weer eens een kunstwerk had gemaakt, droeg ze het meestal op aan haar oom. Ze herdacht zijn dood nog elk jaar.' Hij schuift de stapel bierviltjes naast de suikerklontjes en neemt het boek in zijn handen.

'Zou haar verdwijning iets met hem te maken kunnen hebben?'

'Indirect misschien. Hij had vrienden en kennissen van

Bulgarije tot Rusland. Ze heeft bij sommigen van hen gelogeerd als kind en als tiener. Er was één vrouw in Moskou met wie ze nog heel lang contact heeft gehouden. Plus een oude homo in Praag. En een ver familielid in Dresden. Ik heb ze allemaal gebeld. Ze gesmeekt om me de waarheid te zeggen. Het heeft niks opgeleverd.' Hij fronst. Alsof hij nog steeds twijfelt of ze hem wel de waarheid hebben verteld.

'Dus je weet zeker dat ze niet naar een van die vrienden...'

Hij onderbreekt me. 'Niets is zeker. Dat weet jij toch ook wel.' Zijn stem klinkt voor het eerst scherp. Zou ik te ver zijn gegaan? Misschien is het beroepsdeformatie om altijd maar door te vragen. Om meer te willen weten dan mensen bereid zijn los te laten.

Hij kijkt op zijn horloge. 'Ik moet gaan.'

En nu dan? Zou dit het zijn? Twee afspraakjes voor het terugbezorgen van een koffer. Een onopgelost mysterie en een rusteloze vrouw met de naam Lizzy. O ja, dat heb ik nog helemaal niet gevraagd.

'Het zal wel niet, hoor, maar is mijn koffer toevallig bij jullie bezorgd?'

'Nee, sorry.' Hij pakt zijn tas en staat op. Nog even en hij loopt weg. Ik zal hem nooit meer terugzien. Deze man met zijn mooie, verdrietige ogen. Dan stopt hij het boek in zijn tas en steekt zijn hand naar me uit.

'Dank je wel, Lizzy.'

'Eh... zou ik het boek nog even mogen houden? Ik heb het nog niet uit en ik wil weten hoe het goed en kwaad zich ontwikkelen.' Ik glimlach. Maar ik haal de grijns meteen van mijn gezicht als ik me realiseer dat hij zou kunnen denken dat ik de draak steek met zijn verdriet. 'Ik meen het.'

Hij kijkt me onderzoekend aan.

'Ik zou je willen helpen, Markus. Ik bedoel met het zoeken naar Monika.' Het floept er zo uit. Is het dom en naïef? Dring ik me te veel op? Ik zou hem echt willen helpen. Ik zou zijn vrouw voor hem terug willen vinden. Ik zou zijn verdriet weg willen halen. Misschien omdat ik hoop dat mijn eigen verdriet daar ook mee verdwijnt.

'Je kunt me wel helpen.'

'O ja?'

Om zijn mond verschijnt een glimlach. 'Met koken van-avond. Een uur of zeven?'

'Een uur of zeven.'

'Tot dan.' Uit zijn tas pakt hij het boek en hij reikt het me aan. Dan draait hij zich om en loopt weg. Als een herwonnen schat hou ik het boek tegen mijn borst. Door het raam zie ik hoe hij met gehaaste pas de straat uitloopt en om de hoek ver-dwijnt. Hij heeft niet meer omgekeken.

Het werd een vast ritueel. Ze ontving een brief, las hem drie tot vier keer door, tot ze de tekst bijna uit haar hoofd kende, en verbrandde hem daarna in de gootsteen. De resten as spoelde ze weg met water, de lucht verdreef ze met uien en knoflook. De volgende dag schreef ze Jürgen dan steevast te-rug. Met impliciete vragen, toespelingen en aanmoedigende woorden. Ruim vier weken moest ze elke keer wachten op ant-woord. Maar langzaam kwam ze steeds meer te weten. Via hun geheimtaal van vroeger wist ze dat als hij 'kort' schreef, hij 'lang' bedoelde. Dat als hij het had over 'soepele regels' het eigenlijk ging om 'strenge regels'. 'Heel fijn' was 'afschuwe-lijk'. 'Dik' was 'dun'. 'Goed' was 'kwaad'. En 'leven' betekende 'dood'. Alles moest ze omgekeerd interpreteren. Ze kwam er-achter dat hij laatst een oplawaai had gekregen, wat hem drie tanden had gekost. Helemaal 'terecht', volgens hem, omdat hij naar buiten had willen gaan om te plassen terwijl de avondklok al ingegaan was. Maar het was ook vaak heel druk bij de twee emmers waarop ze met meer dan honderd mannen hun be-hoefte moesten doen. Hij schreef haar dat hij zo 'vrolijk' werd van de liederen die ze tijdens het appel zongen. En dat ze soms wel uren doorgingen met hun gezang. Hij schreef dat de kampleiding 's avonds nooit iets voor de ramen van de barakken wilde zien bewegen. Degene die het toch waagde om met zijn hoofd voor het raam te verschijnen kon het berouwen met een kogel. Weer 'terecht'. Sylvi begreep uit zijn tekst dat hij elke ochtend als de bel ging moest vechten voor zijn spullen en dat hij blij was wanneer hij twee schoenen vond. Al waren het twee linker. Want anders moest hij met maar één schoen aan bij het appel staan. De hele dag werken op één blote voet. De wonden die dat opleverde, wilden de gevangenen nog weleens inzwachtelen met doeken. Maar als de kampleiding erachter kwam dat je repen stof had gescheurd van handdoeken en lakens, kreeg je ook weer straf. Volledig 'terecht'. Sylvi las Jürgens verhalen over de joden. Zij werkten buiten in de steengroeven maar kregen geen zonnebrandcrème, waardoor ze aan het einde van de dag met blaren op hun huid terugkwamen. Hun gezichten kwamen vol te zitten met vieze korsten en hun ogen puilden uit door het staren in het felle zonlicht. Aan die gehavende koppen kon je zien dat het smerige joden waren. Zij verdienden het niet om te leven. En het was dan ook meer dan 'terecht' dat zij soms onder hun verwondingen bezweken.

Tussen de regels door las ze nog meer gruwelijkheden; kreeg ze de beelden op haar netvlies. Ze kon zijn tranen zien stromen. Zijn bloed zien vloeien. Ze kende hem al zo lang. Ze kende zijn gevoeligheden, zijn zwakke plekken. Maar ze wist ook dat hij sterk was van geest. Koppig en trots. Deze brieven waren een getuigenis van lichamelijke, maar vooral ook van geestelijke aftakeling. Ze waren het bewijs dat je mensen, sterke mensen, kon breken, en hen precies kon laten doen wat jij wilde. De woorden aan haar waren misschien wel zijn enige hoop. Zijn manier van rebelleren tegen het systeem.

Maar wat deed zij? Ze kookte voor Klaus, maakte het huis schoon en gaf les aan zes- en zevenjarigen. Ook aan de kinderen van SS'ers, ja.

De ideeën waarmee ze tot dan toe haar hoofd had gevuld kwamen steeds meer onder druk te staan. Was dan niets wat het leek? Een zonnige dag? Volgzame kinderen? Een liefdevolle echtgenoot? Een verderfelijke jood? Een leider als God? Haar wereldbeeld begon te wankelen.

Ze begon te sparen. Bijna onbewust en zonder doel begon ze geld en spullen te verzamelen. Klaus was steeds minder vaak thuis. Soms bleef hij wel achttien uur achter elkaar weg. Als ze dan eindelijk de voordeur hoorde opengaan en hem met zware sloffende passen hun woning in hoorde lopen, knipte ze snel haar leeslampje uit en deed ze alsof ze sliep. Als ze de volgende ochtend aan hem vroeg waarom hij zulke lange diensten draaide mompelde hij iets van jodentransporten. Ze vroeg door: 'Wat voor transporten? Waarom zitten er ook katholieke Duitsers in het kamp? Wat moeten die mensen de hele dag doen?' Hij gaf haar korte antwoorden. Op de vraag: 'Wat gebeurt er eigenlijk met de zieken?' keek hij haar enkel nors aan. 'Of als er gevangenen doodgaan, waar worden ze dan begraven?' Hij sloeg met zijn hand op tafel. 'Sylvi, hou op! Ik kan niets zeggen. Dat weet je. Waarom blijf je maar doorvragen?'

Ze vermande zich. 'Je blijft hele dagen en nachten weg. Je praat nauwelijks met me. Je raakt al geïrriteerd als ik vraag of je nog koffie wilt. En dan mag ik niet eens een paar vragen stellen over wat je de hele dag doet? Wat is er zo belangrijk dat je niet eens meer de moeite neemt om mij aan te kijken? Om mij daadwerkelijk te zien. Ik ben je vrouw!' Met tranen in haar ogen keek ze hem aan. Haar kaken stevig op elkaar bijtend. Ze mocht niet gaan huilen. Niet de sussende woorden en het geklop op haar rug. Ze wilde antwoorden.

Zijn ogen schoten heen en weer. Het leek of hij twijfelde. 'Zeg het maar, Klaus. Vertel me wat je op het hart ligt,' fluisterde ze. Daarbij pakte ze over de tafel heen zijn hand. De hand waar hun trouwring aan zat. Glanzend koper, met een vleugje geel goud. Het waren de goedkoopste geweest. 'Later,' had hij destijds gezegd, 'later koop ik achttien karaats gouden ringen. Dat beloof ik je.'

Het moment leek minuten te duren. Ze zat tegenover hem aan tafel, hield zijn hand vast en probeerde hem met haar blik te bereiken. Ergens had ze het gevoel dat hij wel wilde. Dat hij zich tussen twee vuren bevond en haar kant neigde te kiezen. Maar toen stond hij plotseling op, liep naar de gang, pakte iets uit de binnenzak van zijn dienstjas en kwam terug. In zijn hand had hij een bruin papieren zakje. Hij schoof het over de tafel naar haar toe en zei: 'Koop er maar wat leuks voor. Van-avond praten we wel verder.'

Pas toen hij weg was keek ze in de bruine envelop. Er zaten meer rijksmarken in dan ze ooit in haar leven had gezien. Dit was zijn antwoord op haar vragen. Hij kocht haar af.

Vanaf dat moment besloot ze om het anders aan te pakken. Ze ruimde de ontbijtspullen op, stopte het geld in haar handtas en liep naar school. Ze groette de ouders even vriendelijk als al-tijd, gaf de taal- en rekenlessen met de gebruikelijke toewijding en telde de uren tot de school weer uit was. Toen haastte ze zich naar het station, waar ze de trein nam naar Berlijn. Ze zag dat er sinds de laatste keer dat ze in de stad was geweest veel meer posters aan de muren hingen met anti-joodse propagan-da. Of was het haar eerder niet opgevallen? Ze vond het, net als de meeste Duitsers, normaal dat de joden werden buitengeslo-ten. Maar door de brieven van Jürgen was ze overal over gaan twijfelen. Wat maakte de haat voor dat volk toch zo groot? Toen ze nog bij haar hospita woonde, had ze joodse buren gehad. Elke dag had ze vriendelijk gegroet als ze voorbij hun levensmiddelenwinkeltje kwam. En vaak was ze even bin-nengewipt voor zeep of koffie. Zouden zij er nog wonen, vroeg ze zich af. Zou hun winkel nog bestaan?

In een grote confectiezaak kocht ze een goedkope maar redelijk chic uitziende japon. Bruin met hooggesloten boord. Ook kocht ze een klein geldkistje en reisde toen terug naar huis. Ze deed het resterende geld in het kistje, net zoals de parelketting die ze had gekregen bij haar huwelijk en de oorbellen van goud. Ze zette het achter in de lade met ondergoed en begon aan het eten. Pas toen de avond was gevallen en er een stevige herfstbui tegen het donkere raam striemde, ging de voordeur open.

Zwijgend deed Klaus zijn schoenen uit en zette ze onder de kapstok. Hij legde zijn druipende pet op de hoedenplank, hing zijn doorweekte overjas op een knaapje en kwam de huiskamer in. Alsof hij niet in de gaten had dat ze naar hem stond te kijken, zo begroette hij haar. 'Hallo, mijn lieve vrouw, hoe gaat het hier?' Zijn stem klonk opgewekt. Sylvi draaide een rondje om haar as, om de nieuwe japon te tonen. 'Mooi,' zei hij gemeend. 'Je hebt toch niet gewacht met het eten, hè? Het was weer zo'n drukke dag.'

'Nee, ik heb al gegeten. Maar er is nog genoeg voor jou over. Goulash met aardappelen.' Ze probeerde even luchtig te klinken als hij. Terwijl hij at, ging ze bij hem aan tafel zitten en begon te vertellen over de kinderen op school. 'Die jonge Gregor is toch zo'n slim kind. Zijn vader is een collega van jou. Je weet wel, de familie Leibbrandt. De moeder van die jongen is altijd heel aardig tegen mij.'

'Hij is de kamparts. Echt een geschikte vent,' zei Klaus met volle mond.

'Ja, dat moet wel met zo'n leuke zoon. Jammer dat hij een beetje lispelt.' Sylvi liet bewust een stilte vallen na haar zin. 'Misschien moet ik hem wat privélessen geven. Een paar logopedieoefeningen en zo.'

Klaus knikte. 'Geen slecht idee.' Hij nam een slok van zijn

bier en keek haar glimlachend aan. 'Ik ben blij dat je slechte bui van vanmorgen weer voorbij is.' Nu was hij degene die haar hand pakte. 'Je weet toch dat ik van je hou. En dat ik nooit iets zou willen doen om je treurig te maken. Maar ik mag nu eenmaal weinig loslaten over mijn werk. Snap je dat?' Nog voor ze kon reageren ging hij al weer door met zijn verhaal. 'Maar ik kan je verzekeren dat het een goede zaak is waarvoor ik strijd. We hervormen de gevangenen, als het ware. We leren ze wat discipline is, onderwerping, en noeste arbeid. Maar we gunnen ze ook rust en vriendschap onder elkaar. Soms denk ik weleens dat we ze nog veel te veel in de watten leggen.'

'Ook de joden?' Het was eruit voordat Sylvi er erg in had. Er verscheen een frons in zijn voorhoofd. 'Kijk, de joden, dat is natuurlijk een heel ander verhaal. Die kun je niet heropvoeden. Dat is water naar de zee dragen. Maar dat volk krijgen we wel klein. Zodat ze weten wat hun plek is en ze nooit meer een gevaar vormen voor onze maatschappij.' Hij zette zijn glas bier met een harde klap op tafel. 'Maar nu iets anders, lieve vrouw. Je weet toch wat ik je ooit beloofd heb? Een echte gouden ring.' Sylvi voelde zich betrapt. Had hij dezelfde gedachte met haar gedeeld vanmorgen? Wat wist hij nog meer over haar bezinning? Over haar plannen? 'Ik heb hem helaas niet kunnen inpakken.' Hij tastte in zijn broekzak. 'Maar ik hoop dat je er desalniettemin blij mee bent.' Midden op tafel legde hij een gouden ring met een glinsterende steen. 'Ze hebben me verzekerd dat hij echt is,' voegde hij eraan toe. En hij nam weer een hap van zijn goulash, waarbij er een druppel vet uit zijn mondhoek droop. Ze deed haar trouwring af en schoof de nieuwe ring aan haar vinger. Een halfjaar geleden zou ze hier nog dolgelukkig mee zijn geweest. Ze moest zich forceren om blij te klinken.

'Dank je, lieveling. Hij past precies.' Ze hield haar hand op, keek naar het glimmende sieraad en vroeg zich af hoe de vrouw die hem hiervoor gedragen had eruit had gezien. Zou ze nog leven?

'Heb ik niet iets verdiend?' Klaus veegde zijn mond af aan zijn servet. Even had ze geen idee waar hij op doelde. Toen sloot hij zijn ogen en tuitte zijn lippen. Ze ging staan. Het was alsof haar spieren niet wilden meewerken. Met kracht moest ze de stramheid in haar ledematen bestrijden. Ze liep om de tafel heen, ging lichtjes door haar knieën, boog zich voorover en draaide haar gezicht naar hem toe. Toen gaf ze hem zacht een zoen op zijn mond. Hij opende zijn ogen en lachte breeduit. Ze zag stukjes glazige ui tussen zijn tanden zitten. Met zijn hand greep hij haar bij haar achterste, en zei met lage stem: 'Vanavond moeten we maar eens vroeg naar bed gaan.'

Van seks had ze nooit genoten. Na die eerste keer tijdens hun huwelijksnacht was ze zo geschrokken van de mannelijke drift, dat ze zich niet kon voorstellen dat er vrouwen waren die dit lekker vonden. Natuurlijk was Klaus wat zachter met haar omgegaan toen ze hem schuchter had verteld dat hij haar pijn deed. Maar zelfs de strelingen vooraf konden de daad niet verzachten. Ze wist dat het erbij hoorde en vanwege haar kinderwens was ze altijd heel bereidwillig geweest, maar de laatste tijd kon ze het nog maar nauwelijks opbrengen. Het leek alsof haar afwijzing hem juist gretiger maakte. Liefdevol was Klaus al lang niet meer te noemen. Daarvoor in de plaats was iets nieuws gekomen. Perversie was misschien wel het juiste woord. Die avond gunde hij haar nauwelijks de tijd om zich uit te kleden. Grijnzend drukte hij haar achterover op bed en klom bovenop haar. Hij hijgde woorden in haar oor. Dat was iets van de laatste tijd, dat hij dingen zei als hij haar nam. Het begon met brommen en wat mompelen. Daarover was ze in het begin nog bijna in de lach geschoten. Maar na verloop van tijd had ze gemerkt dat het helemaal niet om te lachen was. Ze probeerde zijn stem niet te horen en bewoog haar heupen mee op zijn harde stoten om het zo kort mogelijk te laten duren. Maar het duurde niet kort. En zijn woorden waren grover dan ooit. Ik zal je leren, vies, vuil wijf!' Ineens stopte hij met pompen en gleed uit haar. 'Omdraaien!' Het was een bevel. Ze draaide zich op haar buik en probeerde met haar gedachten zo ver mogelijk weg te zweven. Alsof dit niet echt gebeurde. 'Kont omhoog!' Ze stak haar billen in de lucht en voelde hoe zijn geslacht bij haar naar binnen drong. In haar vagina, niet in haar anus. Daar was ze even bang voor geweest. Dat hij in haar kontgat wilde stoten. Hij pakte haar heupen beet en trok haar naar voor en naar achteren. Ze dacht aan de jurkjes die ze die middag had zien hangen in de winkels. Aan het mooie herfstlandschap dat ze vanuit het raam van de trein had gezien. Hij sloeg haar op haar billen. Met platte hand. Het kletste luid in de holle slaapkamer. De blaadjes waren zo kleurrijk. Rood, geel, bruin. Een schilderij. 'Ik zal je leren. Hoer. Hoer!' Het laatste woord eindigde in een schreeuw. Hij boog zich over haar heen. Greep haar borsten. Hijgde uit.

Sylvi huilde, geluidloos.

'Ik zou je willen helpen, Markus.' De woorden galmen na in mijn hoofd. Ik weet niet waarom, maar ik voel een enorme drang om het leed van deze man op me te nemen en hem te redden van een lang en ongelukkig leven. Zal wel iets Florence Nightingale-achtigs zijn.

Met de stadsplattegrond die ik bij de kiosk heb gekocht, stap ik de U-bahn in. In welke stad ik ook ben, de metro lijkt universeel. Een onderaards bestaan dat zich overal kan afspelen. En hoewel het in New York anders ruikt dan in Wenen of Parijs, sijpelt de geur van het riool er altijd doorheen. Wee, zoetig en rottend. Kurfürstendamm, daar schijn ik te moeten zijn. 'Zeker?' vroeg ik aan de verkoper van het stalletje. 'Natuurlijk mevrouwtje, dat weet toch iedereen.' Ja, twintig jaar geleden, maar nu? Waar zijn de hippe wijken waar iedereen het over heeft? Nou ja, dit is niet de dag om een stad te leren kennen. Eerder om een man te leren kennen.

Herstel. Wat denk je nou, Elizabeth Koster? Dat je zomaar de lege plek kunt invullen die die Monika heeft achtergelaten? Misschien had Rafik gelijk, had ik nooit moeten stoppen met die psychoanalyse. Dan had ik nu geen stoutemeisjes-dromen gehad, maar een volwassenvrouwen-leven. Zonder belachelijke impulsen. Zonder het risico steeds opnieuw teleurgesteld te raken.

De afstand is in no time afgelegd. Ik stap net op tijd uit. Ik wist dat het nog drie, nog twee, nog één halte was. Waarom kost het me zoveel moeite om bij de realiteit te blijven? Kan ik niet handelen als ieder ander? Ik stoot tegen een jongen van een jaar of vijftien. 'Sorry.' Hij loopt zonder iets te zeggen door. Ik sta stil tussen de bewegende mensen. Kriskras lopen ze naar hun eigen bestemming. Als mieren om me heen. Ik kijk naar de borden. Twee uitgangen. Ik moet kiezen. Welke zal ik nemen? Ik weiger om de plattegrond uit te vouwen en besluit naar links te gaan. De verkeerde kant, zo blijkt als ik boven de grond kom. Niet dat het veel uitmaakt. Ik moet alleen de straat oversteken en kom op dezelfde plek uit, maar mijn gebrek aan richtingsgevoel is weer eens bevestigd. Ik heb een tijd geprobeerd om ertegenin te gaan. Dan dacht ik: mijn gevoel zegt dat ik hier naar rechts moet, en dan ging ik naar links. Ook fout.

Dure merkwinkels zonder uitverkoop. Net wat ik niet zocht. Ik loop verder. Goedkope ketens waar ik dezelfde jurken in de etalage zie als in Amsterdam. Nee. Door. Dan loop ik voorbij een etalage waar ze bezig zijn met het aankleden van de naakte poppen. Ik loop naar binnen. Een keurige mevrouw vraagt waar ik naar op zoek ben. Ik antwoord in *Hochdeutsch* dat het haar geen reet aangaat. Nee. Met mijn Nederlandse accent vraag ik of ze ook jurken heeft van een effen stof. Dus zonder bloemen. 'Maar bloemen zijn de mode op dit moment,' verzekert de vrouw me. Ter demonstratie tovert ze drie exemplaren tevoorschijn die een waar boeket vormen in haar armen. Nog voor ik kan antwoorden, komen er met veel kabaal drie dames binnen. Hun stemmen zijn schel, hun woorden plat. Ze winden er geen doekjes om. Het zijn Nederlanders. Met z'n drieën stormen ze op het boeket af. Met veel ge-oh en ge-ah trekken ze de jurken naar zich toe. Ze vragen naar de juiste maten in iets wat op Duits moet lijken. De verkoopster laat mij staan en rept zich naar het magazijn. Ik draai me om en wil de boetiek uit lopen als ik een zwart jurkje zie hangen. Effen stof, klassiek model, elegant, vrouwelijk, maar niet té. Ik kijk naar het prijskaartje en besluit dat het zou moeten kunnen. Stiekem duik ik het achterste hokje in. Ik open de rits en stap in de jurk. Terwijl ik sta te worstelen met de sluiting op mijn rug, blijkt dat de verkoopster me niet vergeten is. Zonder aankondiging heeft ze het gordijn opengetrokken en ritst ze de jurk dicht. 'Staat u goed!' En weg is ze weer. Het gordijn laat ze open. In de spiegel probeer ik naar mezelf te kijken, alsof ik een vreemde ben. Iemand die ik voor het eerst zie. Een vrouw in de zwarte jurk met sneakers aan haar voeten, blonde haren slordig in een staart. Ik trek het elastiekje eruit. De lichte plukken vallen langs haar gezicht. Ze zou nog wat make-up kunnen gebruiken. Net wat meer verzorging. Hoge hakken. Maar deze vrouw in de spiegel is gemaakt voor dit kleedje. Dit stukje stof, dat hier ver vandaan geknipt en aan elkaar gestikt werd, is bedoeld voor een lijf precies zoals het hare. Slanke taille, bescheiden cup B, rechte gespierde benen. En armen. Armen die als takjes langs haar lichaam hangen. Breekbaar, maar niet droef. Het duurt even voor ik doorheb dat de gebloemde vrouwen hun oehs en aahs inmiddels aan mij hebben gericht. Ze vragen of die jurk er ook nog in hun maat is. Ik stamel iets in het Engels, om maar geen deel uit te maken van deze Hollandse club van confectietoeristen. De verkoopster redt me. 'Nee, helaas, dit is de laatste.' Teleurgesteld druipen ze af. 'Bevalt hij u?'

'Ja, ja...'

'Hij past u perfect.'

'Mag ik hem aanhouden?' Ik zou niet weten hoe ik dat laatste stukje ritssluiting in mijn eentje zou moeten dicht krijgen. 'Natuurlijk!'

Ik krijg mijn creditcard terug, samen met de bon. Mijn spijkerbroek en T-shirt worden keurig opgevouwen en in de glim-

mende tas gestopt. Ze bedankt me vriendelijk en drukt me nogmaals op het hart dat het me wonderschoon staat. Mmm. Ik
neem de tas aan, sla mijn jas over mijn schouder en loop naar de
uitgang. De zon schijnt me tegemoet. Missie geslaagd.

Tien over zeven. Een déjà vu. De zon hangt laag, de gebouwen
kleuren even rood. Ik sta weer voor de zware eikenhouten deur
van de DanzigerStrasse 354. Deze keer niet met een koffer,
maar met een fles Brunello di Montalcino. De duurste die ik
kon vinden. Ik kijk naar het naamplaatje: Markus Brückner &
Monika Schleich. Een fractie van een seconde bekruipt me een
naar gevoel. Vlug druk ik de bel in. Hij verwacht me. Zijn stem
klinkt opgewekt. 'Kom binnen. Je weet de weg.' Toch komt hij
me tegemoet. Op gymschoenen, deze keer. Ben ik niet over-
dressed? Zijn spijkerbroek, poloshirt, oude Puma's, tegenover mijn Blacky-dress, mijn op de valreep gekochte hakjes.
Alsof hij mijn gedachten kan lezen zegt hij: 'Wat zie je er mooi
uit.'
     'Ach, ik was toch in de stad.' Hetzelfde gebrek aan subtili-
teit als vanmiddag. Banaal. Hollands. Ik in afwachting van het
feest, vuurwerk, brandalarm, sirenes. Hij rouwend om zijn
verdwenen geliefde. Zijn muze van wie nu een slechte replica
de trap oploopt.
     'Kom verder. Ik ben alvast begonnen.' Hij sluit de deur ach-
ter me en maakt een uitnodigend gebaar naar de keuken. In
één klap wordt mijn overdaad tenietgedaan door wat ik daar
zie. Schaaltjes met wel twintig verschillende tapas, salades,
versgebakken brood, wijn die staat te chambreren. 'Sorry,'
mompelt hij bescheiden. 'Koken is een grote hobby van me.'
     'Dat komt goed uit. Eten is míjn grootste hobby.'
     Hij drukt me een mojito in handen en houdt zijn glas om-
hoog. 'Op deze onverwachte ontmoeting.'
     'Ja, op het onverwachte.' De glazen klinken. Zijn groene

ogen kijken me lachend aan. We nemen een slok. Een munt-
blaadje komt in mijn mond terecht. Ik slik het zo onopvallend
mogelijk door en vraag: 'Kan ik helpen?'

De sneeuw lag wel een meter dik op de huizen en de wegen waren niet meer schoon te vegen. De kinderen uit Sylvi's klas hadden de grootste lol en ze zag door het raam hoe ze op het schoolplein een glijbaan hadden gemaakt van sneeuw. Hier speelden uitgelaten, blije kinderen. Maar op nog geen kilometer van deze plek stierven gevangenen van honger en kou. Op elk moment dat Sylvi alleen was en niet toneel hoefde te spelen dacht ze na over Jürgen. Hoe zou het voor hem zijn in die ijzige barakken waar hij moest vechten voor een bed en voor een stukje brood? Ze voelde zich nutteloos, omdat ze niets kon doen om te helpen. Ze had wel wat geprobeerd. Ze gaf logopedie aan Gregor, de zoon van de dokter. Ze had voorgesteld om bij hen thuis te komen lesgeven, zodat hij in zijn vertrouwde omgeving zou zijn en minder de prestatiedrang van school voelde. Dit werd echter door zijn moeder direct afgewimpeld. Sylvi wist dat ze in een van de nieuwe dienstwoningen op het kampterrein woonden. Dat was natuurlijk ook de hele opzet van haar plan geweest. Maar volgens Gregors moeder zou het veel te lastig zijn voor Sylvi als de lessen bij hen thuis werden gegeven. Sylvi had nog aangedrongen, maar het antwoord bleef nee. Ook probeerde ze een persoonlijke band op te bouwen met de andere vrouwen van de wat hogere SS'ers.

Een enkele keer was ze op de thee geweest bij een van hen. Pas laat drong het tot haar door dat de positie van Klaus niet zo bijzonder was. Om aanzien te genieten was hij in elk geval niet hooggeplaatst genoeg. Via haar eigen functie als onderwijzeres en haar scherpzinnige opmerkingen over hun kinderen lukte het eigenlijk beter. Maar vriendinnen... Nee, dat was ze met geen van hen geworden.

Wat wel lukte was het inpalmen van haar man, met haar attente en liefdevolle gedrag. Met een hoog stemmetje liet ze doorschemeren dat ze heus wel in was voor nog wat mooie sieraden of spulletjes voor in huis. 'Mevrouw Baranowski en mevrouw Brandt dragen zulke schitterende kettingen. Ik zou toch zo graag ook zo'n sierstuk willen dragen,' zei ze dan flemend. 'Een mooie kandelaar, voor romantisch kaarslicht, dat zou niet misstaan in dit huis.' Alles wat ze vroeg kwam na een paar dagen haar kant op, en zo werd haar schat groter en groter.

De laatste brief die ze van Jürgen had gekregen was al weer zo'n zes weken oud. Ze maakte zich zorgen om hem. Hij had geschreven dat er tyfus was uitgebroken in het kamp. Hoewel haar man ook hier niks over had gezegd, wist ze zeker dat het waar was. Het grote aantal vrachtwagens met houten kisten dat ze voorbij had zien komen liet daar geen twijfel over bestaan. Ze kreeg weer wat moed toen ze hoorde dat er af en toe nog wel gevangenen werden vrijgelaten. Kleine criminelen die hun straf uitgezeten hadden. Joden die hun emigratiepapieren rond hadden. Hoewel het haar bijna onwaarschijnlijk leek dat er nog joden waren die het land konden ontvluchten. Zeker na die afschuwelijke nacht een paar weken geleden. Ze dacht weer aan de kleine levensmiddelenwinkel van haar oude buren, die ook vast aan diggelen geslagen was. Of zouden zij op tijd zijn weggekomen?

Sylvi volgde de ontwikkelingen in het land veel nauwgezet-ter dan voorheen. Ze luisterde naar de radio en las de krant. Maar de meest betrouwbare informatie kwam misschien wel van de mensen op straat. Zo had ze opgevangen dat belangrij-ke gevangenen, jood of niet-jood, soms werden vrijgelaten vanwege de politieke druk. Hoewel dat laatste vooral scheen te gebeuren als het om beroemdheden ging of wanneer er grote sommen losgeld werden betaald. Sylvi had nog overwogen om al haar bezittingen bijeen te rapen en de opbrengst daarvan aan de moeder van Jürgen te geven, zodat hij vrijgekocht kon wor-den. Maar later hoorde ze mensen tegen elkaar zeggen dat de politieke gevangenen bijna nooit vrijkwamen. Het risico voor de samenleving zou te groot zijn. En stel je voor dat de moeder van Jürgen met die som geld zelf op een lijst van verdachten kwam te staan. Dat de SS haar met zijn ondervragingsmetho-den zou breken en ze haar naam – en die van Klaus – zou prijs-geven. Nee. Van zichzelf wist Sylvi hoe sterk ze was, maar op een ander kon je niet vertrouwen. Zelfs al was het je eigen fa-milie.

Toch bleef Sylvi hopen op een wonder. Een mogelijkheid om dichter in de buurt te komen van haar jeugdvriend. En zo te kunnen overleggen hoe ze met hem een levenskaart kon ma-ken om de schat te vinden.

Een volgende brief van Jürgen kwam vier weken later, op een woensdag. Ze moest hem verstoppen, want Klaus had nacht-dienst gehad en hij lag nog in bed. Inmiddels was Sylvi tamelijk bedreven geworden in het bedriegen. Ze stopte de brief snel tussen haar onderwijsboeken, maakte een aardappelsalade voor haar man en wekte hem met een kus op zijn wang. 'Op-staan, je moet zo weer werken.' Kreunend hief hij zijn hoofd op. Ze aaide nog even over zijn warrige haar en stond op om weg te lopen. Maar met een snel gebaar pakte hij haar arm beet en trok haar in zijn bed. 'Nu niet, lieverd, je moet zo weg,' zei ze lachend en ze probeerde hem af te wimpelen. Maar hij liet zich niet op andere gedachten brengen. Hij legde haar op haar rug, deed wild haar jurk omhoog en trok haar wollen maillot over haar heupen. 'Klaus, alsjeblieft…' Het had geen zin. Met zijn stijve penis uit zijn pyjamabroek viel hij haar grommend aan. Na een kanonnade van scheldwoorden en harde ritmische stoten kwam hij klaar. 'Zie je wel, lieverd, zo lang hoeft dat toch niet te duren,' zei hij terwijl hij haar nog een pets na gaf op haar dij. Ze schudde meewarig haar hoofd. Kon niets bedenken om te zeggen. Haar ledematen leken verlamd. Haar gevoel verdoofd. De realiteit kwam pas terug toen hij naar het toilet ging en haar alleen op bed achterliet. Langzaam stond ze op en liep naar de wastafel. Ze maakte het washandje dat over de rand hing nat en begon zich te wassen. Drie woorden drongen zich aan haar op: *ik wil weg*. Woorden die ze niet meer uit haar gedachten kon verdringen. *Ik wil weg*. En op dat moment wist ze zeker dat wat er ook zou gebeuren, ze weg zou gaan bij deze man.

23 maart 1939

Lieve Pinky,

Het spijt me dat ik al zo lang niets van me heb laten horen. Het was erg druk in het kamp en omdat ik een tijdje in de steenfabriek werkte, kwam het er niet van. Ik had aan een kampleider gevraagd waarom voornamelijk joden in de steengroeve moesten werken. Hoewel het niet zo bedoeld was, zag hij het als een provocatie en haalde hij me van het meubelcommando af. Ik weet dus nu hoe bakstenen gemaakt worden. Het is een erg interessant, maar pittig werkje. Elke dag moest ik zakken cement sjouwen. Na anderhalve maand ben ik door mijn rug gegaan, waardoor ze me in de ziekenzaal moesten opnemen. De commandant is nog bij me op bezoek geweest. Zo aardig. Hij zei dat ze joden het zware werk lieten doen omdat het niet zulke zachte eitjes waren als een kunstenaar zoals ik. Gelijk heeft hij. Omdat er in de ziekenbarak zoveel bacteriën rondzwerven, werd ik ook nog geïnfecteerd met gordelroos. Eerst dachten ze dat het tyfus was omdat ik de hele tijd moest hoesten, maar uiteindelijk bleek dat mijn bronchitis te zijn, die door het stof in de steengroeven erger was geworden. Nou zeg, je zult wel denken, hoeveel ziektes kun je tegelijkertijd krijgen? Gelukkig heb ik twee dagen geleden de verpleegafdeling mogen verlaten en is mij wonder boven wonder weer een plekje gegund in de meubelmakerij.

Ik moet nog steeds leren om niet zoveel vragen te stellen. De leiding hier houdt niet van nieuwsgierige aagjes. En dat snap ik. Ze weten zelf heel goed wat ze doen en al die vragen leiden alleen maar af. Trouwens, stel je voor dat alle duizenden kampbewoners die hier inmiddels zitten zoveel zouden vragen. Ze zouden er horendol van worden.

Hoe gaat het met jou? In goede gezondheid en gelukkig? Ik hoop het van ganser harte.

Jouw Jürgen

Sylvi bleef nog minuten staren naar zijn woorden. De krabbels op het papier waren in de loop van de tijd steeds onregelmatiger geworden. Sommige woorden waren nauwelijks te ontcijferen. Dat kon betekenen dat hij nog voorzichtiger geworden was. Maar het zou ook kunnen duiden op een steeds zwakkere gesteldheid. Hoe kon ze hem helpen, dat was de vraag die ze zich keer op keer stelde.

Ik weet wat ik zou moeten doen, maar ik doe het niet. Mijn kleren, die als losse hoopjes door de kamer liggen, blijven onaangeroerd. De tandenborstel, shampoo, crème en deodorant, staan stil voor de spiegel in de badkamer. Als ik de moed had, zou ik alles in gaan pakken, dat zweer ik, maar die heb ik niet. Ik lig in mijn zwarte jurkje op de lakens. Mijn handen gevouwen op mijn buik. Zo blijf ik net zo statisch als al het andere. Zelfs mijn longen, die zich steeds opnieuw vullen met lucht, doen dit bijna bewegingloos. Alleen de gordijnen maken hun dans voor het raam. Ik zou ze open moeten schuiven om de dag toe te laten. Maar ik kan het niet.

We aten, Markus en ik. Hij vertelde me over zijn dagen met Monika. Ik vertelde hem over mijn tijd met Rafik. Hij liet me weten dat hij bereid was de strijd op te geven. Ik had het al opgegeven. Als ze nog leefde, zei hij, dan hoopte hij dat ze gelukkig was met haar nieuwe bestaan. Ik vertelde zeer beeldend over mijn ex met zijn nieuwe Chinese fascinatie. Hij lachte met me mee. Halverwege een nieuwe hap, met nog meer smaak, kruisten onze blikken. We stopten met eten. Geen trek meer. De wijn was bijna op. 'Water?' Hij stond op om naar de keuken te lopen. Ik liep met hem mee. Hij pakte twee glazen

uit de kast. Deed de kraan open. Ik volgde zijn handen. Verwachtte dat hij de glazen een voor een onder de straal zou houden, maar zijn bewegingen stopten. Het water bleef stromen.
Ik richtte mijn blik op. Hij keek naar me. Hoe lang al? Hoe lang
nog? 'Jouw ogen zijn als de lucht,' zei hij toen. 'Ze wisselen
steeds van kleur.' Ik keek in zijn ogen en dacht aan mos. Maar
ik zei niks. Moest slikken om door te kunnen ademen. Om hem
te blijven aankijken. De scherpe lijnen rond zijn mond waren
verdwenen. Het water dat uit de kraan kwam, leek rechtstreeks in mijn mond te stromen. Overvloedig speeksel om de
droogte aan te kunnen. Zomaar. Natte mond. Volle lippen
kwamen langzaam naar me toe. De lucht en het mos, steeds
dichter bij elkaar. Tot de zuurstof verdween. Een perfecte sa-
menvoeging. Zijn lippen die de mijne raakten. Mijn ogen sloten zich, mijn mond ging open. Als vanzelf. Zijn warme tong
zocht en vond. Eerst nog voorzichtig tastend. Toen steeds dieper, welwillender. Warm, nat, innig ronddansend. Een moment van eindeloosheid. Zijn hand op mijn haar, over mijn
rug, naar mijn billen. Langzaam glijdend. Mijn armen eerst
nog losjes om hem heen gebogen. Steeds steviger. Zijn lijf tegen het mijne. Time out. We snakten naar adem. Met onze
ogen weer geopend probeerden we te lezen waar dit naartoe
zou gaan. Verder of stoppen? Hij ademde zwaar. 'Ik weet niet
of... Wil je dit wel?'

Mijn hart raasde. Ik wilde het. Hees fluisterde ik: 'Alleen als
jij het ook echt...' Hij ontnam me het laatste woord. Tilde me
op en droeg me naar de slaapkamer. Ik probeerde niet te zien
waar ik was. Wilde geen andere gedachten krijgen over deze
kamer, niet registreren hoe het bed eruitzag, de kasten, de ramen, waren we zichtbaar voor buren? Niet op letten, geen seconde verliezen van hem. Van dit moment genieten als de eerste en de laatste keer. Alles wat er bestond. Hij legde me
zachtjes neer. Zijn warme adem bij mijn gezicht. Zoetig, even

vertrouwd als onbekend. Zijn lange wimpers toen hij zijn ogen langzaam sloot en me opnieuw kuste. Even was ik toch afgeleid. Ik vroeg me af waar ik was. In welk bed was ik gelegd en door wie in godsnaam? Monika. Markus. Toen voelde ik zijn hand, die terwijl we zoenden zacht over mijn gezicht streelde. Deze aanraking vertederde me. Alles is goed. Laat je gaan. Mijn hand gleed onder zijn shirt. Gespierde mannenrug, beter dan Rafik. Niet doen! Ik drukte hem tegen me aan. Ik voelde zijn erectie door zijn spijkerbroek. Mijn heupen bewogen naar voren. Hij likte over mijn lippen. Keek me aan. Halfgeloken ogen die smeekten om seks. Mijn jurkje werd omhooggetrokken. Behendig schoof hij zijn handen in mijn broekje. Ik opende zijn riem. Zijn gulp. Ging dit te snel? Die gedachte schoot door mijn hoofd. Moesten we ons eerst rustig uitkleden en voor elke handeling meer geduld opbrengen? Geen tijd. Ik voelde hoe hij met zijn vingers door mijn natte schaamlippen ging. Hoe hij mijn meest gevoelige plekje raakte en er zachtjes op drukte. Zou hij haar daar precies zo hebben geraakt, Monika? Zou hij haar nu voelen? Zij was mij. Hij had haar teruggevonden. Geiler dan ooit. Zij kon niet meer wachten. Wilde niet meer. Ik voelde hem door de stof van zijn onderbroek. Zij voelde hem. Groter dan in haar herinnering. Harder. Ze zou hem in haar mond willen nemen, net als vroeger, en er hard op zuigen. Later. Nu dit. Zijn vingers raakten me steeds dieper, maakten me gek. Maakten haar gek. Hij wist hoe hij haar moest laten komen. Maar ze wilde niet voor ze hem weer in zich gevoeld had. Ik duwde zijn spijkerbroek en boxershort naar beneden. Hij hielp me. Ik voelde hem naakt in mijn hand. Het was te lang geleden voor Monika. Voor Lizzy. Rustig nu. Uitstellen en genieten van zijn opwinding. Ik bewoog hem zachtjes op en neer. Hij kreunde. 'Kom op me liggen,' hijgde ik zacht. 'Ik wil je in me voelen...' Hij richtte zich op. Keek me aan. Toen ruw, alsof hij haast had, trok hij mijn jurk verder omhoog. Er scheurde een naad. Ik liet los. Spreidde mijn benen. Gaf me over. Ik ben teruggekomen, Markus. Je mag me nemen. Maar hij kwam niet naar binnen. Hij wreef over me heen. Liet me nog meer naar hem smachten. 'Markus, kom alsjeblieft.' Daarna, eindelijk, gleed hij langzaam bij me naar binnen. Ik kon me niet meer inhouden. Mijn billen kwamen omhoog. Duwden zich ritmisch tegen hem aan, en ik... stroomde over. 'Ik ik...' Een schreeuw ontsnapte aan mijn keel. Hij keek me aan en stootte hard in mijn binnenste. Zijn gezicht verkrampte. Zijn ogen bleven me tergend aankijken. Mijn lijf schokte. Zijn luide ademstoot. De ontlading.

Later deden we het nog een keer. Ruwer. Straf kreeg ik voor mijn uitstapje van een jaar. Waarom heb je me zo lang laten wachten, bitch? Wat was er aan de hand? Hier, deze is voor de liters tranen die ik gelaten heb. Voor de uren dat ik naar je gezocht heb. De nachten dat ik niet geslapen heb. De woorden die ik hardop aan je richtte, zonder dat jij er was. Hier, pak aan. En nog een. Nog een.

In bad verkenden we elkaars lichaam. Voorzichtig, als ouders die hun versgeboren baby checken op het aantal vingertjes en teentjes.

We dronken thee. Praatten bij over de dingen waarover bij te praten viel. Alles dus. Toen het licht van buiten langzaam het kunstlicht in de kamer overstemde, verdween de magie. Zijn vingers trilden, mijn stem werd vlak. Ik kleedde me aan. Zei dat ik morgen terug zou komen.

'Hoe laat?'

'Zo snel mogelijk.'

Ik opende de deur van mijn hotelkamer, waar niets was verschoven en de stilte me zacht omarmde. Ik ging op bed liggen, vouwde mijn handen over mijn buik en nam me voor om na te denken.

En daar lig ik nu. Ik doezel wat. Open dan weer mijn ogen. De beelden van de nacht dringen zich aan me op. Steeds opnieuw. Van nadenken komt het nauwelijks.

In de levensmiddelenwinkel ving Sylvi een gesprek op tussen twee bewoonsters van Oranienburg. Het ging over een grote gratieverlening omwille van Hitlers vijftigste verjaardag. Uit alle KZ's, zoals de concentratiekampen in de volksmond genoemd werden, zouden duizenden gevangenen vrijgelaten worden. De twee vrouwen verbaasden zich over dit, naar hun idee, idiote plan. 'Waarom? Ze zitten daar toch goed. En als ze eenmaal vrij zijn, keren ze dan meteen naar hun oude woonplaats terug? Stel je voor dat ze in Oranienburg blijven hangen. Dat zou afgrijselijk zijn. Zoveel joden en criminelen in één keer in de stad. Je mocht wel vast extra sloten laten maken op je deuren. Tsss.'

Sylvi had plotseling geen idee meer wat ze wilde kopen. Op de vraag wat het mocht zijn, stamelde ze: 'Meel. Suiker…'

'Verder?' De vrouw keek haar ongeduldig aan.

'Nee, dank u, dat was het.' Ze rekende af en liep naar buiten. Ze moest zich beheersen om niet te gaan rennen. Een grote gratieverlening, gonsde het tussen haar slapen. Dat zou kunnen betekenen dat Jürgen vrijkomt. Hij zit er tenslotte al twee jaar. Voor het vergrijp dat hij heeft gepleegd, het verspreiden van satirische tekeningen, is dat al een heel zware straf. Hij is geen lid geweest van de KPD. Wel van de jongerenbond, maar die werd pas later verboden. Hij is toch veel te jong en on-schuldig om als zware crimineel gestraft te worden. Ja, al zou-den er maar tien gevangenen worden vrijgelaten, Jürgen had het recht om daar bij te zitten.

Thuis pakte ze pen en papier en begon met trillende hand te schrijven.

13 april 1939

Beste Jürgen,
Naar ik vernomen heb, worden er op 20 april een heleboel ge-vangenen vrijgelaten vanwege de verjaardag van onze grote leider Adolf Hitler. Het stemt mij zeer gunstig dat deze goed-hartige daad zal plaatsvinden en ik hoop van ganser harte dat jij een van die gevangenen zult zijn. Je bent geen politiek te-genstander van het grootse Duitse Rijk. Iedereen hier, je vrienden uit je jeugd, je ouders en je stadsgenoten uit Bran-denburg, weet dat. Ik hoop dat het ook wordt ingezien door de verantwoordelijke daar, zodat je over een week de vrijheid te-gemoet kunt treden. Als jonge, zeer begaafde kunstenaar zou jij heel veel prachtig werk kunnen maken in die typische Ari-sche stijl!
    Ik verheug me op ons weerzien. Laat het me snel weten als het zover is.

Alle liefs,
Pinky

Toen Klaus thuiskwam, begon Sylvi opgewonden te babbelen over de aankomende lente, over het geuren van de eerste bloe-sem en over de verjaardag van Hitler. 'Wordt er nog iets bij-zonders georganiseerd bij jullie in het kamp?' vroeg ze on-schuldig.

'Tja, dat zouden ze wel willen,' zei hij nors.

'Wat bedoel je, lieveling?' Ze ging achter hem staan en begon zijn schouders te masseren.

'We moeten gevangenen vrijlaten als alles doorgaat. Maar ik heb al gezegd dat dat het begin van het einde is.'

'Ach, dat zal toch wel meevallen. Mensen kunnen ook leren van hun straf.'

'Dat is zo,' zei hij met een zware zucht. 'Maar eens een jood, altijd een jood.'

'Ach ja, dat zijn ook maar mensen. Die kunnen er toch ook niets aan doen dat ze als jood geboren zijn.'

Klaus sloeg haar handen van zijn schouders en draaide zich abrupt om.

'Zeg dat nooit meer!' zei hij terwijl hij haar met vuur in zijn ogen aankeek. 'Joden verdienen het niet een mens genoemd te worden. Zelfs het smerigste zwijn is nog edeler dan een jood. Geloof me, Sylvi, er bestaat geen slechter levend wezen dan de jood.'

Die nacht, toen hij op haar wilde kruipen, fluisterde ze voorzichtig: 'Ik heb mijn periode. Dus vandaag even niet, liefste.' Hij draaide zich om en ging zonder iets te zeggen slapen.

Nog uren lag Sylvi wakker. Hoe kon het dat er zoveel haat in deze man woedde? En waarom had ze dat niet eerder gezien? Was het er altijd al geweest en had hij het weten te verbergen? Of was zijn haat aangewakkerd door anderen?

De volgende dag wist Sylvi dat ze in actie moest komen. Stel dat ze Jürgen inderdaad gratie zouden verlenen, dan was dit het moment om haar verdwijning voor te bereiden. Ze wist dat ze niet zomaar tegen haar man kon zeggen: 'Lieveling, ik hou niet meer van je en ik ga bij je weg.' En als hij later zou vernemen dat ze samen met Jürgen gevlucht was, zou hij er alles aan doen om haar te vinden en te straffen. Want het was niet alleen zijn vrouw die hij zou verliezen, nee, het waren vooral zijn aanzien en zijn mannelijke eer. Het zou hem uitzinnig van woede maken. Ze beet op haar lip. Tranen stonden in haar ogen. Verdriet over dit mislukte huwelijk. Over de tederheid die plaatsgemaakt had voor obsceniteit en bedrog.

Ze zou een nieuwe identiteit moeten aannemen. Maar hoe kon ze daaraan komen? Sinds vorig jaar was identificatie door middel van een officiële persoonskaart verplicht, en deze kaarten lagen nou eenmaal niet voor het oprapen. Hoewel een joods persoonsbewijs misschien nog wel te regelen viel. Maar wat zou ze daar mee opschieten? In elk geval moest ze haar uiterlijk veranderen. Haar donkerblonde haar afknippen en zwart verven. Ze zou andere kleding moeten gaan dragen en met een ander accent gaan spreken. En, misschien nog wel het belangrijkste, Sylvi Heinrich-Höffner moest dood. Ze moest omkomen bij een brand in Berlijn. Of ze moest verdrinken in de Wannsee. Iets waardoor Klaus het zoeken snel zou opgeven.

In de dagen die volgden, vormden zich steeds nieuwe plannen in haar hoofd. Het belangrijkste was haar nieuwe identiteit. Waar moest ze die in godsnaam vandaan halen? In het criminele circuit zou het veel te riskant zijn. Ze kende daar de weg helemaal niet, en voor ze het wist zou ze in een val van de nazi's lopen. Ze kreeg een idee. Ze zou op school naar alle persoonsbewijzen van de ouders vragen. Zogenaamd om te kijken of er geen joodse kinderen bij haar in de klas zaten. Ze zou dan haar persoonsbewijs omwisselen met een van die van de ouders. Nee. Ze zou de vrouw van de kamparts vragen of zij een geldige kaart kon regelen voor een vriendin, die haar papieren kwijt was. Nee, dan kon ze zich net zo goed meteen aangeven. Ze zou een jonge vrouw vermoorden en haar persoonsbewijs afnemen. Bij het verminkte lijk zou ze dan haar eigen kaart leggen. Nee, nee, nee. Zij was geen beul, zoals Klaus. Ze wilde niet gelukkig worden over de hoofden van anderen.

Ondertussen verliepen de dagen traag. Ze verwachtte ieder moment een bericht te zullen ontvangen van Jürgen. Elke namiddag liep ze haastig uit school naar haar brievenbus. Ze hoopte zijn vrijlating zwart op wit te krijgen. Maar de bus bleef leeg.

Het werd 20 april. Ze volgde de berichtgeving op de radio omtrent de verjaardag van Hitler nauwlettend. Ze zag een propagandafilm bij de familie Sternn, SS'ers die thuis televisie hadden. Steeds werd bevestigd dat de Führer clementie had gegeven aan duizenden gevangenen. Tussen de beelden van die uitgemergelde mannen die zwaaiden naar hun voorland, zocht ze zijn gezicht. Ze zag jonge mannen met een rode driehoek op hun gevangeniskleding gespeld, maar ze herkende hem in geen van hen. Dat zou ook wel heel toevallig zijn geweest natuurlijk. Maar toch… Haar hoofd tolde bij het idee. Bij de minuscule kans om hem in die mensenmassa te ontwaren.

Ook de volgende dag was er geen post. Bij het minste of geringste geluid schrok ze op. Stel je voor dat hij aan de deur zou komen. Maar er gebeurde niets. De daaropvolgende dag ook niet, en daarna ook niet. Na tien dagen kreeg ze eindelijk de langverwachte brief. Ze rende de trap op en sloot snel de deur achter zich. Bij het openen van de envelop scheurde ze de brief bijna doormidden, zo gretig was ze om de inhoud te lezen. En daar stond het. Meteen in de eerste regel. *Ik ben er niet bij. Vraag me niet waarom, maar ik ben er niet bij.* Tegen de deur aan zakte ze naar beneden. Hoe kon dit? Ze las verder. *Ik ben er niet treurig over. Er is nog zoveel te doen hier. Jij moet er ook niet treurig om zijn. Het is goed dat ik hier zit.* Dat was het. Meer had hij niet geschreven. Ook zijn moed was geslonken. Ze kon het opmaken uit de weinige krachteloze woorden die op papier stonden. Te-rug bij af.

Met een schok word ik wakker. Waar ben ik? Een kleine aftandse kamer met een eenpersoonsbed, donkerblauwe vloerbedekking en smoezelige vitrage die het zonlicht filtert. De roodverlichte cijfers op het nachtkastje vertellen me dat het halfvier is. Mijn god. Toch nog in slaap gevallen. Alles komt in één klap terug. De nacht der nachten met Markus. Wie is die man? Wie was ik? Wat hebben we gedaan? Schaamte in elke porie. Elk stukje huid dat hij heeft aangeraakt. Zijn vingerafdrukken staan nog in mijn armen, mijn borsten, mijn billen. Zijn speeksel plakt nog op mijn gezicht. Zijn sperma... Gadverdamme.

De douche is lauw. Maar nog te warm voor mijn gloeiende lijf. Ik draai de warmwaterkraan helemaal dicht en pijnig me met de ijskoude straal. Zondig zijn zij die de zonde hebben begaan. Die het verderfelijke genoten hebben, zonder besef van plaats of tijd. Puur om de lichamelijke bevrediging. Je laten gaan en gaan. Zonder terughoudendheid. Angst. Mijn ouders hebben me gewaarschuwd. Seks is als een verdovend middel. Mensen denken niet meer na. Ze verliezen zich en weten niet meer wat ze doen.

Ik kan besluiten om naar hem terug te gaan. Om me over te

geven aan dit gevoel van herkenning. Samenzijn. Genot. Maar waar zal het op afstevenen? Zo goed als gisteren wordt het nooit meer. Het hoogtepunt is al bereikt. De mooiste dag uit mijn leven. We kunnen beter vandaag trouwen dan morgen... bla bla bla. Ik draaf door. Kan geen beslissing nemen. Mijn angst om weer de verkeerde afslag te nemen is zo groot, dat het een selffulfilling prophecy is, nog voor mijn keuze is bepaald.

Ik draai de kraan dicht en droog me af. De gloed uit mijn binnenste is niet verdwenen. Hij brandt harder dan voorheen. Ik wil hem zien, Markus, hem voelen. Schaam je! Kalm blijven. Blijven ademen.

De dagen kropen voort. Ze had hem teruggeschreven dat ze zo blij was dat hij de moed niet had verloren en dat hij natuurlijk vrij zou komen als hij er klaar voor was. Tot slot had ze gevraagd of hij nog een leuke vriendin kende met wie ze eens zou kunnen praten. Ze voelde zich soms zo alleen. Een vriendin zou haar kunnen helpen om zich even een ander te voelen. Ze hoopte dat hij haar hint begreep. Ze zocht een bekende van hem die ze kon vertrouwen. Iemand die haar wellicht aan een paspoort zou kunnen helpen. Maar twee maanden lang hoorde ze niks van hem.

De zomer had alweer zijn intrede gedaan, en hoewel de politieke toestand elke dag onzekerder werd, kwam Klaus steeds vrolijker thuis. Op een dag trok hij haar bij zich op de bank en zei: 'Luister goed naar me, lieveling. Ik ga jou weer gelukkig maken.'

'Maar ik ben al zo gelukkig,' antwoordde ze met een geforceerde glimlach op haar gezicht.

Hij schudde zijn hoofd. 'Ik ken je, lieve Sylvi, en jij bent niet de gelukkigste vrouw op aarde op dit moment.'

Sylvi kreeg het benauwd van deze onverwachte aandacht. Had hij door dat ze wilde vluchten?

'Ach Klaus,' probeerde ze nog een keer. 'Ik ben een heel tevreden mens, doe geen moeite.'

'Dat is nou precies wat ik wel ga doen,' zei hij zelfingenomen. 'Ik heb een verrassing voor je.'

Ze slikte. Dit kon niet anders dan slecht nieuws betekenen. Een overplaatsing naar een ander kamp of nog erger, een overplaatsing naar het buitenland.

'We gaan verhuizen!'

'Nee!' riep ze in een impuls.

'Jawel, mijn schatje. Ik heb een hogere rang gekregen en we verhuizen naar de Adolf Hitler Dam.' De laatste woorden articuleerde hij overdreven.

'In welke stad?' vroeg ze met dichtgeknepen keel.

'Hier natuurlijk, domoor. In Oranienburg. Het is die straat die naar mijn werk loopt. Daar waar de grote ss-villa's staan.'

'Gaan we dáárin wonen?'

Haar domme commentaar begon hem nu licht te ergeren. 'Nee, natuurlijk niet, ik ben toch geen luitenant. Maar daartegenover staan van die leuke huizen met zo'n puntdak. Die heb je vast weleens gezien.'

Sylvi knikte, maar ze had geen idee. Niet omdat ze die straat niet kende, maar omdat denken onmogelijk was op dit moment.

'Nou wat vind je ervan?'

'Leuk,' zei ze droog.

'Schenk dan eens een lekkere borrel voor ons in, lieveling, zodat we kunnen toosten.'

Terwijl ze naar de keuken liep, twee glazen uit de kast pakte en de koelkast opentrok voor de brandewijn, probeerde ze te overzien wat dit voor gevolgen had. Nee, niets. Geen gevolgen. Ze moest alleen het nieuwe adres aan haar moeder doorgeven, zodat de post niet in verkeerde handen zou komen. 'Wanneer krijgen we de sleutel?' vroeg ze toen ze terugliep met de volle glaasjes.

'Volgende week.'

'Volgende week al?'

'Ja, het huis is plotseling leeg gekomen omdat de officier die er woonde met bijzonder verlof naar huis is gegaan.'

Sylvi had de neiging om door te vragen. Wat was er dan precies gebeurd? Wie was het? Had hij ook een vrouw? En kinderen? Maar ze had geleerd om zich in te houden. Morgen moest ze haar moeder een telegram sturen. Dat was belangrijk. De rest deed er niet toe.

'Proost!'

Na schooltijd was Sylvi regelrecht naar het postkantoor gegaan om een adreswijziging aan haar moeder te sturen. Terwijl ze terug naar huis liep dacht ze aan haar geldkistje. Het zat inmiddels behoorlijk vol en ze moest nu echt gaan beslissen over een goede verstopplek. Stel dat Klaus het in zijn hoofd zou halen om haar mee te helpen bij het inpakken van de verhuisdozen en ineens het ijzeren kistje zou tegenkomen. Ze zou het nog wel kunnen uitleggen, maar de kans dat hij de beheerder over die schat zou worden was te groot. Nee, ze moest het begraven. En wel zo snel mogelijk. Morgen zou ze naar het bos gaan en met een grote opscheplepel een diep gat graven. En dan zou ze het in de grond laten verdwijnen.

Ze had net alle verhuisdozen uit de kelderopslag naar boven gesleept toen de deur openging. 'Hallo!' hoorde ze Klaus vanuit de gang roepen. 'Hier is de postbode.' Ze schrok. Doordat haar gedachten zo in beslag waren genomen door het telegram, het geld en de sieraden, was ze vergeten in de brievenbus te kijken.

'Hallo. Wat ben jij vroeg zeg!' zei ze terwijl ze naar hem toe liep in de gang.

'Ja, dat mag ook weleens,' zei hij grijnzend. Hij had de post op de grond naast zich gelegd en was bezig om zijn hoge dienstschoenen uit te doen.

'Kom maar, ik zal je helpen.' Ze dook op haar knieën en begon de veters van zijn schoenen los te knopen. 'Zat er iets interessants bij?' De lichte vibratie in haar stem moest hoorbaar voor hem zijn.

Hij keek haar lachend aan. 'Hoezo, verwacht je post?'

'Nee. Of eigenlijk ja, van mijn moeder.' Ze loog niet eens met dit antwoord.

'Dat komt dan goed uit,' zei hij terwijl hij het stapeltje naast zich oppakte. 'Die zit erbij.' Hij nam de onderste van de drie enveloppen tussen zijn vingers en hield hem voor haar neus. 'Zie je,' zei hij terwijl hij de envelop plagerig terugtrok toen zij hem wilde aanpakken. 'Al jouw gebeden worden verhoord.' Toen gaf hij met een duivelse glimlach de envelop aan haar. Ze stond op. Dacht koortsachtig na. Kon ze de brief meenemen naar de slaapkamer om hem daar te lezen? Nee, ze moest hem wel openmaken. Als ze hem nu niet onmiddellijk zou lezen, zou dat zeer verdacht zijn. Ze scheurde de envelop open en ging snel met haar ogen over het papier. Twee volgeschreven velletjes waren het. Ze deed alsof ze las, maar ze zag geen letter. Even lachte ze hardop. Ten slotte zuchtte ze duidelijk hoorbaar en zei toen: 'Nou, gelukkig gaat alles goed daar.'

'Wat viel er te lachen?' Hij kwam naast haar staan. Ze probeerde haar vingers onder controle te houden toen ze het papier dichtvouwde en het terugstopte in de envelop.

'O niks bijzonders, alleen dat mijn nichtje de hond heeft gedresseerd. Hij kan nu op commando door een oud wiel springen.' Hij deed even een schamele poging om mee te lachen, maar hij had zijn interesse al verloren en liep door naar de woonkamer. Pas toen het luide geschal van de radio klonk, nam het trillen van haar benen af, het op en neer gaan van haar borstkas en de pijn in haar buik.

Midden in de nacht, toen zijn gesnurk regelmatig en diep klonk, stond ze op en liep naar de woonkamer. Ze pakte de brief die ze tussen de papieren in haar tas had gestopt en begon te lezen.

4 juli 1939

Lieve Pinky,

Het is al een hele tijd geleden dat ik mijn laatste brief aan je geschreven heb. Niet omdat het niet goed met me ging, nee, het ging uitstekend, maar ik had gewoon niets bijzonders te melden. Nu echter heb ik wel een leuk bericht over te brengen. Je weet dat ik in de meubelmakerij werk. We maken daar het fijnste houtwerk voor in de huizen van onze kampleiders. Tafels en stoelen met sierlijke pootjes. Bedden met krullen eraan en kasten met mooi schilderwerk. En dat is natuurlijk mijn bekwaamheid, dat weet je. Dus toen ze vroegen wie van ons werkcommando wilde schilderen, meldde ik me onmiddellijk aan. Mij was er alles aan gelegen om de mooist gedecoreerde kasten te maken. Ik heb ze eerst een basiskleur gegeven en toen heb ik er bloemen op geschilderd, zeer natuurgetrouw. En daarna heb ik ze gelakt. Toen ik steeds vaker complimenten kreeg voor mijn werk, durfde ik het te wagen een romantisch tafereeltje af te beelden op een grote linnenkast. En terwijl ik daar zo mee bezig was, kwam onze arbeidsofficier naast me staan en hij zei: 'Zo kerel, dat ziet er aardig uit.' Je kunt je voorstellen dat ik glom van trots. Ik bedankte hem voor het compliment en ging door met mijn schilderwerk. Vanuit mijn ooghoeken zag ik hem een paar keer heen en weer lopen en toen bleef hij opnieuw naast mij stilstaan. 'Schilder je ook portretten?' Ik knikte beleefd en zei: 'Ja, heer officier.' 'Dan geef ik jou de opdracht een portret van mijn vrouw te maken. Morgenochtend na het appel kom ik je hier ophalen.'

De volgende dag haalde hij me inderdaad op in de meubelmakerij en mocht ik mee naar zijn dienstwoning, vlak bij blok
12 en 13. Zijn vrouw had zich mooi aangekleed voor deze gelegenheid en zat al klaar op een stoel. Ik moet eerlijk toegeven,
Pinky, dat ik best een beetje zenuwachtig was. Met in mijn
achterhoofd de lessen die ik genoten had aan de kunstacademie, begon ik te schilderen. Natuurlijk kun je zoiets niet in
één dag maken. Dat zou ook te vermoeiend zijn voor mevrouw. Stilzitten is niet gemakkelijk, moet je weten. Maar na
drie dagen was het portret helemaal af. Haar man keek vol bewondering naar de geschilderde afbeelding van zijn lieftallige
echtgenote. 'Dat is goed gedaan, jongen,' zei hij tegen me. Later hoorde ik dat hij ermee naar de luitenant is gegaan. Die
kwam de volgende dag naar mij toe en gaf me de opdracht om
de hoogste leiders van ons kamp te portretteren. Vind je het
niet geweldig? Morgen begin ik aan mijn eerste officiële staat-
sieportret!

Nu ik zoveel over mijzelf heb verteld, ben ik er niet toegeko-
men om te vragen hoe het met jou is. Over twee weken begint
voor de kinderen de zomervakantie, heb ik gehoord. Dan
wordt het voor jou ook een stuk rustiger, denk ik zo. Ik hoop
dat je geniet van de zomer en dat niets op het pad naar geluk je
zal hinderen.

Jouw Jürgen

Weer sta ik voor de deur van DanzigerStrasse 354. Elke dag is dezelfde. *Groundhog day*. Een eindeloze herhaling van steeds hetzelfde etmaal. Maar nee, in dit geval is er sprake van ontwikkeling. In drie dagen van onbekenden, naar kennissen, naar minnaars. Hoe zal dat verdergaan? Naar liefde voor altijd? Ik druk op de bel. Beeld ik het me in, of is er hier echt sprake van chemie? Van een schakel die precies past. Heb ik mijn verloren wederhelft eindelijk gevonden? Zal mijn wezen hiermee compleet worden? De grote levensvraagstukken opgelost. Te zijn of niet. Waarachtig. De intercom blijft stil. Romantische flauwekul. Mijn wijsvinger kleurt wit als ik nog eens op de bel druk. Ik tel tot vijftien. Tot vijfentwintig. Tot vijftig. Niks. Hij is er niet. Gevlucht voor mijn verwachtingen van de grote, allesoverheersende liefde. Voor mijn naam, Elizabeth Koster. Ik draai me om. En schrik. Voor me staat Markus. Opgedoken vanuit het niets. Zijn verbazing lijkt net zo groot als die van mij.

'Ik...'

'Ik was...'

'Te laat...'

'Boodschappen doen.'

'Sorry.'

'Sorry.'

Dan volgt de stilte. Waarin we wachten op onze beurt om te spreken. Ik met mijn verklaring voor mijn late verschijning. 'Het was echt niet mijn bedoeling om nu pas te komen. In slaap gevallen. Doodmoe. Verpletterd door zoveel intimiteit.' Hij om... weet ik veel, uit te leggen dat hij had gehoopt dat ik niet terug zou komen. Om me te vragen voortaan weg te blijven. Of juist om uit te spreken dat hij bang was dat hij me nooit meer zou zien. Maar in plaats van de lucht te klaren met heldere woorden, laten we de stilte als dikke mist tussen ons in hangen. Ik voel hoe mijn lip rechtsboven begint te trillen. Uit mijn mond ontglipt een zenuwlach. Zijn ogen blijven strak op me gericht. Als was ik een standbeeld of een schilderij dat ongegeneerd bekeken kan worden. Zijn groen lijkt donkerder. De stoppels op zijn wangen zichtbaarder. Zijn mond verbetener. Iets van: ik geef nog niet op. Hoewel er weinig te winnen valt hier. Hoe lang staan we daar? Acht, negen, tien seconden. Je waarnemingen zijn exacter naarmate er meer adrenaline in je bloed zit. Bewegingen worden met minuscule precisie geobserveerd. Als werden ze tien, twintig, dertig filmbeeldjes vertraagd. Ik kan er niet meer tegen. Nog even en ik zie mijn hele leven aan me voorbijtrekken. Mijn sterfmoment. Wie vertelde me nou laatst dat je, als je doodgaat, niet je volledige leven kunt aanschouwen? Daar schijnt niet genoeg tijd voor te zijn. Tot de adolescentie, verder kom je niet. Wat ik vergat te vragen, is of je vanaf het sterven terugdenkt in de tijd, of dat je juist bij je geboorte begint. Enfin, doet er niet toe. Welke richting het ook op gaat, je krijgt nooit de complete film. Hallucinaties nemen het over. Wie vertelde me dat? Wie was dat nou? O ja, Rafik.

'Lizzy...'

'Ja!' Ik ben er meteen weer bij. Namen noemen is de beste methode om mensen bij de realiteit te krijgen. Om ze wakker

te maken. Uit hun fantastische, gruwelijke, onsamenhangen-
de en volstrekt logische dromen.

'Zal ik je de stad laten zien?'

Natuurlijk. Dat ik daar niet opkwam. Al het gebeurde overslaan. Niet relevant. De toekomst bepalen. Controle terugwin-
nen.

'Leuk!'

'Ik breng even de boodschappen naar boven en dan kunnen
we gaan.'

'Prima.' Ik volg hem met mijn ogen terwijl hij met twee treden tegelijk de trap oploopt. Tas vol boodschappen. Flodderig
zwart poloshirt. Spijkerbroek los om zijn billen. Snelle sneakers. En weg is hij, uit mijn beeld. Op de trap danst iets grijs-
bruins. Een veertje of een dot stof. Had ik met hem mee moeten lopen? Was dat wat hij van me verwachtte? Of zou ik juist
weg moeten lopen? Dit is een kans. Nooit hier geweest. Dit
nooit gezien.

De volgende dag ging Sylvi het bos in. Ze hield nauwkeurig bij welke weg ze precies gelopen was. Toen begon ze te graven. Voorovergebogen op haar knieën moest ze steeds verder reiken met de lepel om het zand van de bodem te schrapen. Ze legde het kistje in het gat en schoof met beide handen het zwarte zand erover. Tot het gat weer dicht was. Ze stampte stevig op de zachte plek. Maakte de grond gelijk en strooide er ten slotte nog wat dennennaalden en takjes overheen. Ze telde vijf voetafdrukken naar de dichtstbijzijnde boom. In de dikke gekartelde bast kerfde ze met veel moeite een hart. Ze had er nog twee letters in willen zetten, een J en een S. Maar het ontbrak haar aan kracht en tijd. Hoewel Klaus had laten vallen dat het laat zou worden, durfde ze daar niet op te vertrouwen. Ze spoelde haar handen en knieën schoon met water uit de fles die ze van huis meegenomen had. Met een oude theedoek droogde ze zich af. Haar nagels waren niet helemaal schoon te krijgen, maar dat zou haar thuis met zeep en een borsteltje wel lukken.

Lopend over de zandweg terug naar huis dacht ze aan Jürgen. Waarom had ze een hart in de boom gekerfd? Liefde kon toch niet ontstaan tussen de regels door? Daar was meer voor nodig. Oogcontact, woorden die direct tot de ander waren gericht, openheid, lichaamstaal. Maar steeds vaker verschenen er beelden in haar hoofd van Jürgen en haar samen. Hand in hand, gezichten dicht bij elkaar, geheimen in elkaars oor fluisterend, haar hoofd op zijn schouder, een kus. In gedachten voerde ze gesprekken met hem. Ze stelde hem de vragen die ze hem nu niet kon stellen. Ze liet hem antwoord geven. Hoewel ze ze zelf verzon, was ze soms verbaasd over zijn wijsheden en moest ze lachen om zijn grappen.

Natuurlijk wist ze dat dit projectie was. Dat haar behoefte aan warmte en intimiteit zo groot was dat die tot een geestelijke escapade leidde. Maar ondanks die rationele verklaring kon ze er niet mee stoppen. En werden de minuten van mijmering over Jürgen uren. Ze was verliefd.

De verhuizing verliep voorspoedig. Klaus hielp haar op geen enkele manier, maar dat zou ook alleen maar lastig zijn geweest. Rustig pakte ze alles stuk voor stuk in dozen en kisten en na twee dagen was ze klaar. De vrachtwagen die de spullen overbracht was van het kamp. Het was dezelfde wagen die de lijken vervoerde, en terwijl ze stond te kijken hoe de inboedel werd ingeladen, rook ze die typische lucht. De geur die ook in de richting van de stad kroop als de wind uit het oosten kwam. Penetrant, bijna dierlijk. Nu ze dichter bij de stad ging wonen, zou ze het steeds vaker ruiken, dacht ze gelaten. Hoewel, als je constant in een bepaalde geur zit, ruik je hem niet meer.

Hun nieuwe huis was eigenlijk best aardig. Het had twee slaapkamers, een lichte woonkamer, een keuken waarin wel twee tafels pasten en een diepe tuin. Ook had ze voor het eerst een badkamer met een bad. Voorheen hadden ze zich altijd bij de kraan moeten wassen. Je te kunnen baden was een ware luxe. Ja, Klaus had niets te veel gezegd, het was een hele verbetering. Toch betrad ze het huis als een vreemde. Ze wilde dit nooit als haar eigen stek gaan zien. Zich de muren, de houten vloeren, de ramen en de planten in de tuin niet gaan toe-eigenen. Dit huis was het laatste tussenstation voor haar uiteindelijke bestemming. Geen idee waar die lag, maar in elk geval ver weg van Klaus.

Ze pakte de spullen uit en gaf ze een nieuwe plek. Bij sommige dingen maakte ze een aantekening. Dat waren de schatten die ze mee wilde nemen op haar vlucht. Een vijftal foto's van haar familie. Een zilveren kandelaar, tafellinnen en servetringen (gekregen van haar ouders bij haar huwelijk), een zilveren spiegel en borstel. Ook had ze een oud burgerpak van Klaus hersteld en helemaal achter in de kast gelegd, zodat hij het uiteindelijk zou vergeten. De babykleertjes zette ze niet op de lijst. Ze legde ze weer achter in de ladekast waarin ze haar ondergoed bewaarde.

Toen haar man thuiskwam zag het huis er piekfijn uit. Hij complimenteerde haar met zoveel ijver en pakte haar stevig beet. 'Kom, laat me nou maar eens even zien hoe de slaapkamer eruitziet.' Ze wist wat deze opmerking betekende en ze liet zich slap meevoeren naar boven. Maar in plaats van haar op bed te drukken, trok hij haar mee naar het raam. 'Zie je dat huis daar?' Hij wees op de villa aan de overkant van de straat. 'Nog een paar jaar en dan wonen we daar. Daar zal ik persoonlijk voor zorgen.' Toen kleedde hij zich uit en riep: 'Laat het bad maar vollopen, schatje!'

In hun nieuwe bed lag ze met open ogen te luisteren naar zijn zware ademhaling. Ze wenste hem dood. Ze wist niet dat ze het in zich had, maar ze wenste hem dood. Hij die uit bad was gestapt, zijn uniform weer aangetrokken had en haar had gedwongen om in zijn vuile water te gaan zitten. Hij die erop aangedrongen had om haar haren te wassen. Met een groot stuk zeep had hij haar ingewreven. Hij had haar hoofdhuid zachtjes gemasseerd, een paar minuten lang. En toen had hij haar onder water gedrukt. Seconden, of misschien zelfs minuten. Gesparteld had ze. Met haar armen en benen. Om zich te redden. Met open ogen had ze hem door het troebele water gezien als een golvend lichaam. Langzaam was haar lucht opgeraakt en was zijn profiel tot stilstand gekomen. En toen had hij haar onverwacht aan haar lange haar weer omhooggetrokken. Happend naar adem was haar zicht weer helder geworden, en had ze zijn satanische blik gezien. Hij had gelachen alsof het een grap was. Hij vroeg of ze daar niet meer tegen kon. Tegen een geintje. Wanneer ze haar gevoel voor humor was verloren. Hij had haar bevolen uit bad te stappen, haar een handdoek toe gegooid en haar gedwongen om de natte badkamervloer droog te wrijven. Hij schreeuwde dat ze een smerige zeug was. Dat ze zelf de boel zo kleddernat had gemaakt. Stoute meid! Hij was erbij blijven staan om toe te kijken hoe ze naakt op haar knieën de vloer boende. En toen had hij zijn gulp opengemaakt en zijn stijve geslacht eruit gehaald. Hij had haar gezicht beetgepakt en zijn erectie tegen haar wangen geslagen. Van links naar rechts, van rechts naar links, steeds opnieuw. Daarna had hij gezegd: 'Mond open. Mond open! Ik beveel het je!' Hij had in haar gestoten tot haar huig omhoogkwam. Hij had haar naar achteren geduwd, haar keel dichtgeknepen en zijn witte vocht over haar gezicht gespoten. Hij. Die man, die nu onschuldig naast haar lag te slapen, wenste ze dood.

'Wat weet je van Berlijn?'

'Dat het bruist. Maar dat heb ik uit verhalen. Zelf ben ik er geweest voor de val van de muur, in 1987, met school.'

'Sindsdien is er inderdaad nogal wat veranderd.' We steken de drukke straat over. 'Niet alleen qua architectuur, maar vooral ook qua mentaliteit. Dé Berlijner bestaat nog steeds niet, het grootste gedeelte van de inwoners is import. Maar waar ze ook vandaan komen, uit de voormalige DDR of West-Duitsland, uit Turkije, Polen, Rusland of Nederland, de jongeren regeren hier. Deze kant op.'

Kollwitzstrasse, lees ik op het bordje. 'En waar kom jij vandaan?'

'Uit Berlijn.' Markus lacht schalks naar me. 'Ik ben een ossi. Later verhuisd naar Leipzig. En nu dus weer terug.'

'Goh. Dus tot je… achttiende waren de straten grijs en viel er weinig te shoppen.'

'Tot mijn twintigste, ja. Vier dagen na mijn verjaardag veranderde de wereld. Ik ging met vrienden de straten op om te zien of de muur echt open zou gaan. Mijn vader riep me na dat Duitsland zich nooit zou herenigen. Nooit. Dat heeft hij geroepen tot hij doodging, twee jaar geleden.'

'En je moeder?'

'Die heeft het nooit meegemaakt. Ze is in '77 gestorven aan borstkanker.'

'Wat rot voor je. En voor je moeder natuurlijk...'

'Ach ja. Deze wijk heet Prenzlauerberg, vroeger een arbeidersbuurt, nu hip en arty. De enige plek in Berlijn waar Monika wilde wonen.'

Monika, terug bij het onderwerp.

'Was ze wel gelukkig hier?'

'Ze had het appartement zelf uitgezocht. We hadden nota bene al een flat in de stad. Mijn ouderlijke woning. Na mijn vaders dood had ik besloten om die aan te houden. Altijd handig voor als we in Berlijn wilden logeren. Voor vrienden. Misschien ook uit jeugdsentiment, ik weet het niet. Maar Monika wilde daar nog niet dood gevonden worden, zei ze.' Hij snuift even. Iets tussen lachen en zuchten in. 'Ach ja, ik snap het wel. Het is ook een lelijke flat.'

Het groen van de bomen wuift vrolijk heen en weer. De winkeliers rechts van ons zijn bezig hun zaken te sluiten. Naaiatelier, tweedehandsboekwinkel, kleding, cartoons en strips. Morgen weer een dag.

'De sfeer van een huis is heel belangrijk.' Ik probeer te klinken alsof het een gedachte is die spontaan bij me opkomt. Alsof ik niet heb lopen zoeken naar iets om te zeggen. Naar een leuke anekdote die aansluit bij zijn verhaal. 'Toen ik studeerde, woonde ik in een prachtige oude villa. Ik kon daar antikraak zitten. Maar ik voelde me er niet prettig. De geluiden bleven onbekend klinken. De geur werd nooit vertrouwd. Toen ik de geruchten hoorde over de geesten van gestorvenen die daar zouden wonen, ben ik meteen weggegaan.'

'Geloof jij in geesten?'

'Nee. Eigenlijk niet.'

Onverwacht slaat hij een arm om me heen. 'Geesten bestaan niet, Lizzy. Alleen spoken uit het verleden. Overdrachtelijk gesproken.'

We zijn gestopt met lopen en kijken uit over een pleintje met volle terrassen. 'Ziet er gezellig uit.' Zijn arm om mijn schouder wordt steeds zwaarder. Aan het gewicht ligt het niet. Ik probeer mijn spieren te ontspannen.

'Even een stop?'

'Is goed.'

Daadkrachtig neemt hij me mee naar een van de terrassen. Ik voel me net zijn boodschappentas. Maar dan iets groter. Hij haalt zijn arm weg en schuift een stoel naar achteren.

'Gaat u zitten, mooie dame.'

'Dank u.' Mooie heer laat ik achterwege.

Als de ober onze bestelling heeft opgenomen (een chardonnay en een riesling – ik wilde bewust iets anders nemen. Om aan te tonen dat ik ook een mening heb en een eigen smaak) zitten we zwijgend tegenover elkaar. Er moet nu toch wel iets gezegd worden. Ik begin. 'Markus, over gisteren. Ik vond het...'

Hij buigt lichtjes naar me toe. Mijn neiging om naar achteren te hellen en onze afstand tot elkaar even groot te houden, moet ik onderdrukken. Evenals mijn neiging om mijn zin niet af te maken. 'Het was goed. En fijn. Maar het heeft me nogal overrompeld.' Hij pakt mijn hand. 'Ik eh... ik geloof niet dat dit allemaal de bedoeling was.'

Zijn droge handen strelen mijn vingers. 'Hoezo, niet de bedoeling?'

'Nou ja. Ik lijk op haar...'

Zijn blik dwaalt af naar onze handen. 'Elizabeth. Jouw hand voelt anders. En niet alleen je hand.' Hij richt zijn blik weer op en kijkt me grijnzend aan. Dan weer serieus. 'Ik vond het ook fijn. Dat had niks met Monika te maken.'

Ik moet duidelijker zijn. Mijn punt gaat verloren. Ik schud mijn hoofd. 'Nee. Ik ben in de war, omdat...' Ik ga veel te ver. Maar nu moet ik doorgaan. 'Kun je door iemand anders te spelen dichter bij jezelf komen? Dichter bij de ander? Of is dat een contradictie?'

Markus begint zijn zin met een lange 'Euh...'

'De kern van je gevoel is altijd puur. Wie je ook denkt te zijn. Dus het is niet relevant.'

De ober zet de wijn voor ons neer. Ik neem meteen een slok.

'Proosten we niet meer?' Hij houdt zijn glas in de lucht en kijkt me met een gespeeld bestraffende blik aan.

'O, sorry. Proost!' Mijn glas raakt het zijne net te enthousiast. Mooi klinken wordt ruw botsen. We drinken.

'Dus het maakt niet uit waaraan je denkt?'

'In principe niet, nee. Tenzij je erdoor wordt afgeleid.' Markus pakt mijn glas en wisselt het met het zijne. 'Als je het niet erg vindt. Ik hou niet van riesling.'

Ik had niet eens door dat ik de verkeerde wijn had gekregen.

Hij praat weer verder. 'Maar als denken aan iets, of iemand, het genot juist versterkt, dan is er toch niks aan de hand?'

'Ook niet als het gaat over jouw verdwenen vriendin? Ik bedoel, heb je aan haar gedacht?' Zo. Het is eruit. Dit wilde ik weten vanaf de allereerste aanraking.

'Elizabeth...' Hij spreekt mijn naam traag uit. 'Eigenlijk is het heel simpel.' Zijn vingertoppen strijken over mijn wang, langs mijn kaak, naar mijn hals. 'Jouw veronderstelling dat ik niet aan jou zou denken maar aan Monika, maakte dat jij je wel moest verplaatsen in haar. Dat was jouw enige mogelijkheid om los te laten, en te geloven in onze handeling.'

'Maar was het zo? Dacht je aan haar?'

'Ik dacht aan haar, ja. Soms. Maar de meeste tijd was ik met jou.'

'Zie je wel.'

'Maar... doet het ertoe?' Hij brengt het glas naar zijn lippen en neemt een slok.

'Weet ik niet.' Ook ik hef mijn glas. Net te gretig, waardoor ik me bijna verslik in de veel te zoete wijn. Ik kuch even, negeer de tranen in mijn ogen en zet mijn glas behoedzaam terug op tafel. Hoe kan ik dit gesprek tot een bevredigend einde brengen? Onverwacht voel ik zijn lippen op mijn wang.

'Sorry. Moest even.' Zijn verontschuldiging, vlak bij mijn oor, klinkt als een dozijn zoemende bijen die hun koningin niet willen storen met nog meer honing.

'Ik vond het niet erg.' Mijn ijle stemgeluid komt van ver. 'Wij, gisteren bedoel ik.'

'Ik ook niet.' Nu kust hij me op mijn mond. Voorzichtig zoenen we elkaar. Zijn lippen zijn warm, zacht. Zijn adem kriebelt tegen mijn bovenlip. Een kus van twee mensen die bang zijn dat het glas zal breken omdat het net is geblazen. Dun en vloeibaar. Nog zoekend naar zijn uiteindelijke vorm.

Haar moeder had haar nieuwe adres ontvangen. Eenentwintig dagen nadat Sylvi naar de Adolf Hitler Dam was verhuisd, ontving ze haar eerste brief. Jürgen schreef haar dat ze nooit moest opgeven in het leven. Dat was iets wat ook hij geleerd had in de afgelopen twee jaar, om nooit op te geven. Uiteindelijk had het hem een betere werkplek opgeleverd en een goede verstandhouding met zijn bewakers. Zelfs met de vrouwen van de SS'ers had hij een zeer prettige band gekregen. Zo had hij vorige week de vrouw van de hoofdcommandant mogen schilderen. Zij was erg vriendelijk tegen hem geweest. Ook de vrouw van de dokter was uiterst voorkomend en aardig. Van haar was hij op dit moment een schilderij aan het maken. Hij bofte maar. Hij eindigde de brief met veel lieve groeten en Sieg Heil.

De vrouw van de kamparts, dat moest Hannah zijn, de moeder van Gregor, die ze nog altijd logopedie gaf. Sylvi kreeg een idee. Die avond bereidde ze een zeer rijke maaltijd voor haar man. Braadvlees met twee soorten groenten, perencompote en gepofte aardappelen. Ze had een goede fles witte wijn gekocht uit de Elzas, een riesling. Buiten regende het, maar binnen had Sylvi feestelijk de tafel gedekt en in de kandelaar brandden kaarsen. Toen de achterdeur openging en haar man zonder iets te zeggen binnenkwam, rende ze naar hem toe om zijn pet aan te nemen, zijn jas van zijn schouders te pakken en hem te helpen met zijn schoenen. Ze kletste vrolijk over het lekkere voorjaarsweer. Over de bloesem in de straten, die zo heerlijk rook. Over de mooie toespraak van Hitler die ze op de radio had gehoord. Hij reageerde nauwelijks, maar ze liet zich hierdoor niet uit het veld slaan. Ze schonk wijn in en schepte voor hem op.

'Wat is er aan de hand?' vroeg hij plotseling. 'Waarom dit overdreven gedoe?'

Sylvi sloeg haar ogen neer. Ze was doorgeslagen. Nu zou het nooit meer lukken. De moed zonk haar in de schoenen. 'Nou, wat wil je van me?'

'Niks,' fluisterde ze beschaamd.

'Zeg nou maar wat je wilt. Nog een ketting of een ring? Nieuwe borden of zilveren bestek?'

'Ik…' begon ze aarzelend. 'Ik wil een kind.' Ze zette zich schrap voor zijn reactie. Het kon een woedende zijn, een liefdevolle of een gekrenkte. Maar er kwam niets. Op zijn gezicht verscheen geen enkele uitdrukking. Het leek te veranderen in een masker van steen. 'Klaus?' Ze wilde zijn hand pakken over de tafel. Maar net voordat haar vingers de zijne raakten, stond hij op en liep naar boven. Ze bleef alleen achter. Op het vuur pruttelde de pan met het braadvlees en boven hoorde ze de luide snikken van haar man.

Dit was niet haar opzet geweest. Ze had willen vragen om een portret, een geschilderd portret, net zoals Hannah Leibbrandt had. Maar in een impuls had ze gevraagd om een kind.

Een bord vol at ze van haar copieuze maaltijd. Ze dronk twee grote glazen wijn en liep toen de trap op naar boven. Daar zat hij nog altijd op de rand van het bed, met het hoofd gebogen. Het huilen was gestopt. Ze ging naast hem zitten, wilde een arm om hem heen slaan, maar haar weerstand was te

groot. 'Lieveling.' Haar stem klonk hard in de holle ruimte.
'Het huis is prachtig, maar een mooi schilderij zou hier niet
misstaan, zodat het wat meer sfeer krijgt. Wat meer kleur. Ik
kwam de kleine Gregor in de stad tegen, je weet wel, de zoon
van de kamparts, en hij vertelde dat er nu zo'n mooi portret
wordt gemaakt van zijn moeder. Ik zou dat ook zo graag willen. Dat kun je toch wel regelen?'

Dit zou de meest riskante brief worden die ze ooit geschreven
had. De brief die hen definitief samen zou kunnen brengen. In
haar hoofd had ze de woorden gewikt en gewogen. Uren getwijfeld over de zinnen die hem subtiel duidelijk moesten maken dat ze een ontsnappingsplan had. Onzeker zette ze de
kroontjespen op het papier en begon te schrijven.

Beste Jürgen,
Dit wordt mijn laatste brief. Deze correspondentie bezorgt
mij een slecht geweten. Je zit niet voor niets in het KZ en ik wil
mijn leven liever niet langer bezoedelen door contact te onder-
houden met een crimineel. Het is nu eenmaal zo dat we onze
daden uit het verleden niet kunnen wissen. Daarvoor zou je
moeten veranderen in een andere persoon, met een andere
naam. Helaas, Jürgen. Ik ben blij dat je een nieuwe missie hebt
gevonden in het schilderen van officiersvrouwen. Toevallig
heb ik ook net het verzoek ingediend een portret van mezelf te
laten schilderen hier in Brandenburg. Het is een afscheidsca-
deau voor mijn moeder. Daarna vertrek ik. Ik wil graag als ver-
pleegster gaan helpen aan het front. Zodra de schilder klaar is
met mijn portret zal ik alle schepen achter me verbranden.
'Wees hierop voorbereid!' heb ik tegen mijn moeder gezegd.
Je weet hoe emotioneel moeders kunnen reageren. 'Houd het
hoofd koel en vertrouw erop dat ik het voor de goede zaak
doe.' Zo heb ik haar weten te overtuigen. Zo hoop ik ook jou

te overtuigen, Jürgen, dat het beter is dat wij elkaar niet meer schrijven. Hooguit zien, ooit in een verre toekomst.

Groeten,
Pinky

Sylvi plakte de envelop dicht en schreef zijn nummer, naam en adres erop. Deed deze vervolgens in een wat grotere envelop met het adres van haar moeder erop en bracht hem naar het postkantoor. Nu maar hopen dat hij hem op tijd zou krijgen. Over twee weken zou Sylvi's gezicht vereeuwigd worden op nazi-Duits canvas.

'Waarom blijf je nog langer in dat aftandse hotel?'

Zijn vraag verrast me.

'Omdat ik moet slapen 's nachts.'

'Wil je niet liever bij mij slapen?'

Het is schemerdonker. Hand in hand lopen we langs de oever van de Spree.

'Ik kom bij je wonen. Straks. En dan krijg je me nooit meer weg,' bluf ik. 'Maar nu hou ik mijn hotel nog even aan, als je het niet erg vindt.'

'Waarom?'

'Omdat...' Ik zoek naar een verklaring. 'Omdat ik het spannend wil houden.'

'Of omdat je het te spannend vindt?'

'You've got me!' Ik prik hem in zijn buik.

'Ik meen het, Lizzy. Ik zou het fijn vinden als je bij mij komt logeren tot je weer terug moet naar Nederland.'

'Dat is nou net het probleem. Ik hoef niet terug.'

'De Reichstag,' zegt hij droog, en hij wijst naar het gigantische gebouw aan de overkant van het water.

'Mooi.' Ik blijf even stilstaan en kijk naar de toeristen die in de verlichte rondvaartboot voorbijvaren. 'Ik heb alle schepen achter me verbrand.'

'Wat heb je verbrand?'

'De schepen. Dat is een Nederlandse uitdrukking voor... nou ja, dat er geen weg meer terug is naar je oude leven.'

'Je hebt toch ouders. Vrienden.'

'Mijn moeder is het gewend dat ik maanden niks laat horen. Mijn vader leeft al jaren niet meer. Mijn broers, ach ja. Die hebben wel wat anders aan hun kop. Koeien en zo. Deze kant?'

'Ja. En vrienden?'

'Getrouwd en kinderen. Geen tijd om zich af te vragen met welke nutteloze dingen ik me bezighoud. Dat daar is de Brandenburger Tor, toch?'

'Klopt.' Hij kijkt me spottend aan. Het kwartje valt. Als je in Parijs loopt, zeg je ook niet 'en dat daar is de Eiffeltoren, toch?' Even lopen we zwijgend naast elkaar. Ik kijk naar het verlichte bouwwerk en vraag me af of ik in deze stad zou kunnen wonen. Amsterdam verruilen voor Berlijn. Opnieuw beginnen.

We stuiten op een hek. 'Berlijn lijkt wel één grote bouwput.' Ik kijk door een opening en zie een zee van donkere betonblokken. 'Wat komt hier?'

'Het Holocaust-monument. Volgend jaar moet het af zijn.'

'Dan mogen ze wel opschieten.'

'Het is bijna af. Die blokken, dat is het.'

'O? Vrij deprimerend. Maar dat dekt op zich wel de lading.'

'Iedere toerist die in Berlijn komt, waant zich in een geschiedenisboek. Ze zien oorlog, vergelding. Schaamte. Wij zien gewoon Berlijn.'

'Volgens mij kun je je eigen stad of dorp nooit zien zoals een vreemde het ziet. Daarvoor heeft het beeld zich te veel vastgezet in je hersenen als iets vertrouwds en vanzelfsprekends.'

Markus draait me naar zich toe en kust me op mijn voorhoofd. 'Lizzy, als dit het begin is van iets in de toekomst, kunnen we misschien beter de geschiedenis vergeten.'

Ik kijk naar zijn ernstige gezicht. Zijn donkere wenkbrau-

wen zijn precies symmetrisch. Ze vormen twee volmaakte bogen boven zijn ogen. 'Ik wil niks liever dan de geschiedenis
vergeten,' zeg ik zacht. En ik denk aan mijn werk, aan Rafik,
mijn jeugd. Dan span ik mijn kuiten, kom iets omhoog, hel
licht voorover en kus hem zacht op zijn mond.

Arbeit Macht Frei, stond er op de grote poort bij de ingang van het kamp. 'Hier moet je wachten,' zei Klaus. 'Je wordt zo opgehaald.' Het krabben aan zijn gezicht, het ophalen van zijn neus en de zweterige hand die hij op haar arm legde, verraadden zijn zenuwen. Zo dicht was ze nog nooit bij zijn werkgebied geweest. Dat wist hij en dat wist zij. 'Nou, succes en tot vanavond.' Hij liep door het hek en verdween al snel uit haar blikveld door links af te slaan. Ook Sylvi was nerveus. Maar om een heel andere reden. Zou het dan echt gaan lukken om haar jeugdvriend terug te zien? Ze durfde het nauwelijks te geloven. Door de ijzeren spijlen van de poort zag ze een groot open veld. Daarachter stonden eindeloos veel rijen houten barakken. In de verte, tussen de barakken, zag ze wat mensen lopen. Gevangenen in blauw-grijs gestreepte gevangenispakken en bewakers in uniform. Het was er rustig. Niets dat duidde op geweld of mishandeling. Een strafkamp, niets bijzonders. Het was eind augustus, maar de late zomerzon had nog niet aan kracht verloren. Sylvi's opgestoken haar kriebelde. Ze zou het het liefst los willen halen, maar Klaus had gewild dat ze zo geportretteerd werd.

Verderop zag ze een SS'er zij aan zij lopen met een gevangene. Ze kwamen haar kant op. Zou dat hem zijn? Die licht voorovergebogen magere jongen? Hij had een rode driehoek op zijn jas. Onder zijn arm droeg hij een platte houten kist. Ja, dat moest Jürgen zijn. Op dertig meter van de poort herkende ze zijn gezicht. Mager en bleek. Over een paar seconden zou hij voor haar staan. Ze kon bijna niet geloven dat dit moment nu echt gekomen was. Nog twintig meter, tien, vijf. Nu was hij bij haar. Jürgen. De jongen uit haar jeugd. De man uit het kamp. Zijn lichtblauwe ogen keken haar aan. Krachtig, hoopvol, blij. 'Hallo, u moet Frau Heinrich zijn.' De officier die naast hem stond sprak haar aan.

'Dat klopt.' Ze stak haar hand naar hem uit.

'Mijn naam is Lanke, officier Lanke.' Hij schudde haar de hand.

'En u bent de schilder?' Ze keek naar Jürgen en stak ook naar hem haar hand uit. Hij pakte die niet, maar knikte bedeesd.

'Jürgen Schumann, aangenaam kennis met u te maken.' Toen deed hij zijn pet af en boog zich diep voorover. Van zijn wilde witte haren waren slechts korte stekels over. Op zijn rug zag ze het vale stuk stof met nummer 1378 erop. Sylvi liet haar hand weer zakken.

'Nou, dan gaan we maar,' zei de officier. 'Deze kant op.'

Gedrieën liepen ze in de richting van de dienstwoningen. De officier in het midden, Jürgen aan de ene kant en Sylvi aan de andere.

Het huis van de arts en zijn vrouw was de tweede woning die ze passeerden. Groot en vierkant; het leek op een van de villa's bij haar aan de overkant. Toen ze op het bordes stonden belde de officier niet aan, maar pakte hij een sleutel uit zijn zak. 'Dokter Leibbrandt is met zijn vrouw en zoon een weekje op vakantie. Dus vandaar dat we ons vandaag zelf moeten binnenlaten.' Hij lachte joviaal en zwaaide de deur open. 'Na u.' Galant liet hij Sylvi voorgaan en daarna stapte hij zelf in de gang.

Jürgen liet hij als laatste binnen. 'De kinderen moeten volgende week alweer naar school, hè?' zei hij terwijl hij de deur achter hen op slot draaide en de sleutel in zijn zak deed.

'Ja, dan wordt het weer hard leren,' zei Sylvi met een glimlach.

'Kom maar, deze kant op.' Hij liep voor hen uit en opende de deur naar de woonkamer.

'Wat een mooi huis!' Sylvi liep om de salontafel heen en keek bewonderend in het rond. Toen bleef ze staan voor het portret dat boven de schouw hing. 'En wat een schitterend schilderij. Hebt u dat ook gemaakt?' Ze draaide zich om naar Jürgen.

Weer knikte hij beleefd. 'Ja, mevrouw.'

'Hij heeft hier nog veel meer gemaakt, hoor,' zei de officier trots, alsof het zijn eigen verdienste was. 'Kijk maar, hij heeft ook alle kasten beschilderd.' Hij wees naar een grote kast, die met een stilleven van bloemen was opgesierd.

'Werkelijk schitterend!' zei Sylvi met overdreven veel bewondering. 'Ik zie dat ik in goede handen ben.' Ze liep naar Jürgen toe en legde haar hand op zijn schouder. Hij sloeg verlegen zijn ogen op. 'U bent een ware kunstenaar, meneer Schumann.'

'Dank u, mevrouw Heinrich.' Die helderblauwe ogen in dat asgrauwe gezicht benamen haar bijna de adem. Haar hand lag nog steeds op de ruwe katoen van zijn gevangenenpak. Ze voelde zijn magere schouder. Stom dat ze niet wat te eten voor hem had meegenomen. Al was het maar een stukje vers brood geweest. Als vanzelf begon ze haar hand lichtjes heen en weer te bewegen. *Het komt goed, ik ben er nu.* Geschrokken van haar eigen reactie trok ze hem snel terug. Ze herstelde zich.

'Wat is uw voornaam, als ik vragen mag?'

'Jürgen,' zei hij zacht. 'Ik heet Jürgen.'

'Jürgen Schumann, die naam zal ik onthouden, voor als u later beroemd bent. Ik heet Sylvi.' Ze moest moeite doen om de controle niet te verliezen. Over haar stem en over haar bibberende lijf.

'En ik heet Emilio,' hoorde ze achter zich de officier zeggen. Ze draaide zich naar hem om. 'Een Italiaanse naam, van mijn Italiaanse moeder.'

'Interessant. Dus u bent half Italiaans. Dat betekent dat u een goed gevoel voor esthetiek hebt.'

'Ja, dat kunt u wel zeggen.' Hij zette zijn pet af en streek zijn haren glad.

'Geweldig!' zei Sylvi vleiend. 'Maar nu aan het werk.'

'Ik eh...' Jürgen begon voorzichtig te praten. 'Ik dacht: als u zich in die stoel gemakkelijk zou voelen,' – hij wees naar de sierlijke armstoel in het midden van de kamer – 'dan installeer ik mijzelf hier.'

'Moet u niet een ezel hebben en een kruk?' Sylvi nam plaats in de stoel.

'Heel scherp, mevrouw Sylvi.' Emilio lachte luid. 'Spullen halen!' zei hij vervolgens bot tegen Jürgen. Deze schoot meteen de gang in en opende de kelderdeur. 'Dit is wel een aardige jongen hoor,' fluisterde Emilio op samenzweerderige toon, 'maar er zijn erbij, dat is echt tuig van de richel. Om maar helemaal te zwijgen over die gore joden.'

Er klonk gestommel op de trap.

'Kan ik helpen?' Sylvi stond al op om naar hem toe te lopen.

'Nee, nee,' hield Emilio haar tegen. 'Hij kan het heus wel alleen af.'

Hijgend kwam Jürgen met de zware ezel binnen en zette hem schuin voor haar neer. Toen liep hij nog een keer de trap af en kwam naar boven met het krukje, het doek en een stapel kranten. 'Ik heb de vorige keer het doek al gespannen, Frau Sylvi.' Hij veegde met zijn mouw de zweetdruppeltjes van zijn voorhoofd. 'Dus we kunnen meteen aanvangen.'

'Dan installeer ik me hier. Misschien kan ik de kunst afkijken,' zei Emilio, in een poging een grapje te maken en hij zeeg neer in de stoel bij het dressoir, rechts van Jürgen. Voor hem was dit blijkbaar ook een soort uitstapje.

Sylvi rechtte haar rug, legde haar handen in haar schoot en kruiste haar benen schuin onder zich. 'Zit ik goed zo?'

'Als dit een houding is waarin u lang kunt blijven zitten, is het goed.' Jürgen keek haar aan. Om zijn mond verscheen een vage glimlach. 'Wacht, ik moet nog iets naar voren.' Hij schoof zijn spullen in haar richting en ging toen weer op zijn krukje zitten. Hij was nu zo dichtbij dat ze bijna zijn gezicht kon aanraken. Ze keek naar hem en herkende de jongen van vroeger in de man van nu. Elke uitdrukking, elk trekje. De mooie ronde mond. De rechte neus. De twee moedervlekjes naast zijn neus. De zee in zijn ogen. Alleen de stoppels op zijn ingevallen wangen waren nieuw. Al dat andere kende ze. Waarom had ze hem ooit in de steek gelaten? Ze voelde tranen opwellen. Hij zag het en schrok.

'Sorry dat ik zo lang kijk,' zei hij. 'Ik ben de vorm van uw gezicht aan het bestuderen.'

'Dat is niet erg,' zei ze. Ze glimlachte. Hij beantwoordde haar lach. De druk op haar borst verdween. Ze staarde in het blauw van zijn ogen en werd overmand door een gevoel van rust. Van zekerheid. Alles was goed.

Natuurlijk ben ik blijven slapen. Hoe onnatuurlijk het op sommige momenten ook voelt, tussen al die fotolijstjes met mijn alter ego. De Demak'up in de badkamer die niet de mijne is. Net zomin als de borstel, de dagcrème en het parfum. J'adore van Dior. Daarom kwam de geur me bekend voor toen ik Monika's koffer openmaakte. Ik heb ooit zo'n zelfde flesje gekregen van Rafik. In onze beginfase.

'En hoe zit het met je verwardheid deze ochtend?' Markus komt de slaapkamer binnen met een witte handdoek om zijn middel.

'Minder. Ik bedoel, die is minder.'

'Was je vannacht jezelf of Monika?'

'Eh...' De vraag is te direct. Beelden van onze nacht samen flitsen door mijn hoofd. De strelingen die zo teder begonnen. De haast om het af te maken. De minuten in zijn armen na de ontlading. Een moment dat langzaam leegliep. 'Waarschijnlijk was ik gewoon ik.'

Hij gooit zijn handdoek op een stoel en pakt een witte boxershort uit de la. 'En beviel dat?'

'Ik weet het niet. Ik moet er nog aan wennen.' Hij trekt de short over zijn billen. Vijfendertig jaar. Afgetraind lichaam. Lange stevige benen. Platte buik. Meer borsthaar dan ik had verwacht. Iets afhangende schouders. Maar gespierde armen.

'Dat geldt niet alleen voor jou.' Hij laat zich naast me op het bed vallen. Ik ruik menthol en kruidige aftershave. Ik moet mijn tanden nog poetsen. 'Ik ben net zo bang als jij, Lizzy. En ik weet ook niet waar dit naartoe gaat. Maar voor nu voelt het goed.' Ik zie voor het eerst dat het haar boven zijn voorhoofd dun is. Binnen een paar jaar is hij kaal. Ze zouden zijn borsthaar misschien kunnen transplanteren. Dat heb ik weleens gezien in een documentaire. Het hoofd wordt als het ware geperforeerd. De gaatjes die zijn ontstaan, worden opgevuld met stukjes huid waarop nog wel haar groeit. Het is een optie.

'Je bent mooi als je net wakker bent.' Hij kriebelt met zijn vingers over mijn schouders naar mijn nek.

'Ik stink,' zeg ik met mijn hand voor mijn mond.

'Je ruikt lekker.' Hij trekt mijn arm naar achteren. 'Hmmm, alcohol en döner kebab.'

'Heb jij een tandenborstel voor me? Niet die van Monika.'

Zijn gezichtsuitdrukking verandert op slag. 'Sorry, het was niet zo bedoeld.'

'Is al goed.' Zijn glimlach moet me overtuigen. De gekwetstheid in zijn ogen verraadt iets anders. Hoe kon ik zo stom zijn. 'Ik pak 'm even.'

Ik draai mijn gezicht naar het plafond. Uitzicht dat Monika elke ochtend had. Afgebrokkelde ornamenten, waar met dikke verf overheen geschilderd is. Zou zij gelukkig zijn geweest met haar man? Op de foto's zien ze er stralend uit samen. Maar als het zo volmaakt was, waarom is ze dan nooit meer thuisgekomen? Heeft Markus morbide trekjes die ik pas zal ontdekken als ik bij hem ingetrokken ben? Als het te laat is om nog ongemerkt de benen te nemen? Want wat maakt dat iemand besluit om niets achter te laten? Is dat niet het meest brute dat je een geliefde aan kunt doen? Zelfmoord is nog milder. Of zou haar iets overkomen zijn? Onderweg van het vliegveld naar huis. Een ongeluk dat niet in de openbaarheid mocht komen. Een taxichauffeur die haar lijk heeft gedumpt in een afvalcontainer. Of haar buurman in het vliegtuig, met wie ze een goed gesprek had. Die haar begreep en met haar meeleefde. Waardoor ze uiteindelijk instemde met zijn voorstel om haar naar huis te brengen. Eenmaal in zijn auto duwde hij een zakdoek op haar mond en werd het zwart voor haar ogen. In een afgelegen huisje in het bos kwam ze weer bij bewustzijn. En daar zit ze nu nog steeds. In een kelder van twee bij drie, waar ze af en toe eten door een luik krijgt toegeworpen. Waar 's nachts in het pikkedonker mannenlijven op haar schuiven. Daar probeert ze te overleven. Op de rand van krankzinnigheid, los van plaats of tijd, maar met de vage hoop dat haar lief haar op een dag zal komen redden.

Hij komt de slaapkamer binnen met een toilettasje van British Airways. 'Als het goed is, zit hier alles in.'

'Dank je. Eh, Markus...' begin ik twijfelend. 'Als er iets is wat ik zou kunnen doen... Ik meen het. Het moet afschuwelijk zijn om met zoveel vragen achter te blijven. Om nooit te weten wat er is gebeurd.'

Hij komt op de bedrand zitten. Voorovergebogen, met zijn armen steunend op zijn bovenbenen.

'Sinds een paar maanden hoop ik dat ik iemand tegen zal komen. Iemand op wie ik verliefd zou kunnen worden. Om iets anders te voelen dan deze onmacht. Jij bent zo iemand, Lizzy. Jij met je open gezicht, je onzekerheid, je rare gevoel voor humor. Je verdriet. Maar hoe cru is het dat juist Monika ons bij elkaar heeft gebracht? Wat denk jij, is dat toeval?'

'Ja. Ik geloof dat toeval bestaat.' Ik schuif naast hem en sla een arm om hem heen. 'Dat de dingen niet allemaal met elkaar verbonden hoeven zijn. Dat betekenis geven soms overbodig is.'

'Wat bedoel je daarmee?'

'De meeste dingen zijn zoals ze zijn. Misschien is dat wel de belangrijkste les die ik van huis meegekregen heb. Op het platteland wordt het ene beest ziek en verdrinkt een ander in de sloot. Valt de ene boer van het dak en de andere in de gierput. Het betekent niet meer dan dat het is gebeurd. Dus dat Monika is verdwenen, staat los van het feit dat wij elkaar leuk vinden. Toch?'

Hij pakt mijn gezicht in zijn handen en kijkt me intens aan.

'Geloof jij werkelijk dat er geen verband bestaat tussen het gebeurde en de toekomst?'

'Nou, ja. Soms natuurlijk wel. Maar in de meeste gevallen niet, nee. Dan is het stom toeval, welke uitleg we er ook aan willen geven.'

'Jij bent lief.' Hij buigt zich voorover en kust me. Ik heb nog steeds mijn tanden niet gepoetst.

'Momentje.' Ik stap uit bed, gris het toilettasje mee en ren naar de badkamer.

Toen Emilio in was gedut had Jürgen haar een briefje gegeven. Ze las het terwijl hij zijn blik op Emilio richtte, zodat hij haar kon waarschuwen als hij wakker werd.

Op dit moment heb ik gewacht, lieve Sylvi. Hier is het vele malen erger dan je ooit kunt vermoeden. Het is de hel op aarde. Sommige mensen werpen zich liever in de stroomdraad dan deze dagelijkse martelingen nog langer te verdragen. Maar ik heb nog hoop, Sylvi. Jij hebt mij die hoop gegeven. Als jij de moed hebt om samen met mij te vluchten, zal ik je eeuwig dankbaar zijn. De jouwe, J.

Snel vouwde ze het papier weer op en stopte het tussen de knoopjes van haar bloesje onder haar bh. Toen knikte ze naar hem en stak twee vingers op. Met haar mond vormde ze de woorden: twee dagen.

Emilio werd pas wakker toen de drie uur durende sessie er bijna op zat. Ze deden beiden alsof ze niet gemerkt hadden dat hij had geslapen.

Vanaf dat moment ging alles in sneltreinvaart. Ze nam diezelfde dag nog de trein naar Berlijn. Daar kocht ze twee treinkaartjes naar Leipzig. Ze ging op zoek naar zwarte haarverf en vond die in een grote drogisterij in de Friedrichstrasse. Twee winkels verderop kocht ze dik, geschept grijs papier. In een andere winkelstraat kocht ze drie verschillende kleuren inkt en een kroontjespen. En weer ergens anders kocht ze een stempelkussen, een stempelset en lijm. En steeds lachte ze beleefd naar de winkeljuffrouw en maakte ze opmerkingen over de school die weer zou beginnen, volgende week. In een huishoudwinkel kocht ze stevig touw. Ook schafte ze een onopvallend zwart jurkje aan, en een grijze mantel.

Ze twijfelde. Moest ze de spullen in de ondergoedlade verstoppen? Nee, te riskant. Ze deed ze in een zak in de kelder, in een van de drie oude kisten naast het kolenhok, en legde er een deken overheen. Toen ging ze naar de kruidenier voor wat extra proviand, waarna ze zich naar huis spoedde om te koken voor Klaus.

De avondmaaltijd was net klaar toen hij plotseling achter haar stond in de keuken. Ze schrok zich rot.

De volgende ochtend was Klaus al vroeg vertrokken. 'Je kent de weg nu,' had hij tegen haar gezegd. Om tien uur moest ze zich bij de poort melden. Ze hadden nauwelijks gesproken over de schildersessie. Sylvi had een opmerking gemaakt over de begaafdheid van de schilder en gezegd dat ze dacht dat het doek heel mooi zou worden. Hij had slechts met een ongeïnteresseerd 'hm, hm' gereageerd. Het enige wat hij had gevraagd was wie haar begeleidde. Toen ze Emilio's naam noemde, had hij besmuikt gelachen. 'Een slappeling. Het zou me niks verbazen als het een mietje is.' Ze had verbaasd gezegd dat die officier juist helemaal niet overkwam als een slappeling. Hij was ook zo grof tegen de schilder geweest. Sylvi was bang dat Klaus iemand anders zou sturen naar de schildersessies, en ze dikte het nog wat aan. 'En homoseksueel is hij ook niet. Dat kan ik met mijn vrouwelijke intuïtie meteen merken.' Een stomme zet, bleek achteraf, want daardoor had Klaus in bed zijn mannelijkheid nog eens uitdrukkelijk moeten bewijzen.

Sylvi maakte haar briefje voor Jürgen. Ik heb alles voorbereid.
Morgenochtend moet het gebeuren. Als jij de schilderspullen
pakt in de kelder, doe ik alsof ik mijn oorbel verlies. Emilio zal
me willen helpen met zoeken, en als hij op zijn knieën ligt, sla
jij hem met de kolenschop. Touw en doeken neem ik mee. De
rest is geregeld. Houd moed. Je S.

Aan de poort stonden de twee mannen al op haar te wachten.
Een trieste aanblik. De meester en zijn slaaf. Twee personages
in een theaterstuk. Een komedie die onbedoeld tragisch eindigde. Sylvi deed extra vriendelijk die dag en ook Emilio had er
blijkbaar naar uitgekeken om weer getuige te zijn van dit creatieve proces. Hij kletste er vrolijk op los. Jürgen was stil. Ze
probeerde op zijn gezicht af te lezen wat er in hem omging.
Was hij bang voor hun ontsnappingspoging? Wilde hij niet
meer? Of was het juist zijn vastberadenheid die hem zo ernstig
deed kijken?

Na een halfuur haalde ze de meegebrachte haverkoeken uit
haar tas en deelde ze uit. Emilio nam er twee, maar Jürgen weigerde. Ze voelde zich er meteen onzeker door. Hij mocht
zoiets natuurlijk niet aannemen. Nu maakte ze het alleen nog
maar erger voor hem, door voor zijn neus de koek op te moeten eten. Maar Jürgen liet niets merken. Hij ging geconcentreerd door met zijn werk. Zo kropen er anderhalf uur voorbij
waarin Emilio over Italië vertelde, en over Magdeburg waar hij
was opgegroeid. Steeds lastiger werd het om nog spontaan te
blijven reageren op zijn gekakel. Ze bad dat hij weer in slaap
zou vallen net zoals de dag ervoor, maar gezien zijn opgewektheid leek die kans erg klein. Hoe kon ze nou dat briefje aan
Jürgen geven?

'Herr Emilio, zou ik misschien wat water kunnen krijgen? Ik heb zo'n droge keel.'

'Natuurlijk kan dat. Loop maar even met mij mee.'

'Is het niet lastig als ik opsta, omdat mijn houding zal veranderen?'

'Nee, hoor,' zei Jürgen. 'Dat lukt wel.'

'Ik mag u niet alleen laten met de gevangene,' fluisterde Emilio. 'Strenge orders.'

Sylvi knikte begripvol.

'Kijk, ze lijken wel betrouwbaar, maar dat zijn ze niet, hoor!' Hij pakte twee glazen uit de kast en draaide de kraan open. Sylvi trok in een snelle beweging het papiertje uit haar roknaad, liep naar de deur en stak haar hoofd om het hoekje.

'Wilt u ook iets drinken?' vroeg ze aan Jürgen terwijl ze hem met dwingende ogen het briefje aanreikte. Hij begreep haar gelukkig meteen en stond snel op om het aan te nemen.

'Dat mag eigenlijk niet,' hoorde ze achter zich. Het bloed steeg naar haar hoofd.

'Wat?' Ze draaide zich om naar Emilio.

'Iets te drinken aanbieden aan een gevangene.'

'Het is maar water,' zei Sylvi, waarbij ze de verontwaardiging in haar stem niet kon verbergen.

'Gevangenen hebben hun eigen vaste drinktijden,' legde hij uit, en hij drukte haar een glas in de hand. 'Het is niet aan mij om daarvan af te wijken. Orders zijn orders.'

'Een klein drupje water kan toch wel?' Ze had zichzelf weer onder controle en keek hem verleidelijk aan.

'Ach ja, voor deze keer dan.' Hij schonk nog een glas water in en liep met beide glazen door de deur die Sylvi voor hem openhield. Jürgen zat op zijn kruk en was aandachtig bezig met het mengen van de verf. 'Hier, drinken!' Jürgen kreeg het glas water aangereikt. Hij stond op en dronk het in één teug leeg. Sylvi wist niet of het was omdat hij zo'n dorst had of omdat hij een bevel had gekregen. Het glas werd meteen weer ingenomen door Emilio, en na een beleefd 'dank u, Herr officier' ging Jürgen weer zitten.

'Ik weet nu echt niet meer precies hoe ik zat.' Sylvi schoof onhandig heen en weer op haar stoel.

'U zat met uw rechterschouder iets naar achteren,' zei Jürgen zacht.

'Ja, en volgens mij had u uw voeten andersom over elkaar. Kijk, zo.' Emilio ging op zijn vaste plek op de bureaustoel zitten en deed voor wat hij bedoelde.

'Nou eh... nee, sorry. Kijk, hier ziet u dat ze haar linkerbeen achter haar rechterbeen gehaakt heeft.'

Emilio ging vol ergernis kijken of Jürgen gelijk had. 'Ja, zo bedoel ik het ook, links achter rechts.'

'Dan hebt u gelijk, officier Lanke. En dan mag u gewoon blijven zitten, Frau Heinrich.'

Sylvi moest moeite doen om niet te gaan lachen. Maar Emilio was duidelijk uit zijn humeur gebracht. Hij liep naar het raam en ging met zijn armen op zijn rug naar buiten staan kijken.

'Uw handen lagen iets anders.' Jürgen keek Sylvi betekenisvol aan.

'Is het zo beter?' vroeg ze onschuldig.

'Nee... niet precies. Mag ik?'

'Ja, natuurlijk.'

Even draaide Emilio zijn hoofd om, maar toen hij zag dat Jürgen slechts Sylvi's handen goed legde keerde hij zich weer naar het raam. Wat hij niet zag, was dat Jürgen een briefje in Sylvi's hand drukte, dat ze in haar roknaad stopte zodra Emilio weer wegkeek. Haar handen beefden, haar hart sloeg een paar keer over. Ze wist wat het risico voor hen beiden was. Maar het was gelukt.

Toen de sessie afgelopen was en Jürgen zijn kwasten opborg, ging Emilio achter hem staan om te kijken naar de vorderingen. 'Hmm, niet slecht,' zei hij goedkeurend, 'maar in werkelijkheid bent u mooier.'

Sylvi lachte gelaten. 'Dat betwijfel ik, Herr Emilio. Een kunstenaar haalt altijd het beste in een mens naar boven.'

'Als dat zo zou zijn, Frau Heinrich,' zei Jürgen op bijna fluisterende toon, 'dan zouden we geen leger nodig hebben van soldaten, maar van kunstenaars.'

Emilio, die niet wist hoe hij deze opmerking moest interpreteren, draaide zich om en zei nors: 'Ingerukt!' Sylvi keek Jürgen besmuikt lachend aan. En voor de eerste keer kwam zijn brede lach weer tevoorschijn. Een lach die pas wegebde toen hij zijn verftubes in de houten doos legde, de kwasten in een glazen pot met verdunner zette, en de kranten op de vloer bij elkaar raapte.

'Nou, komt er nog wat van?' riep Emilio. Alsof hij voelde dat er een kort moment van saamhorigheid was geweest. Jürgen deed snel de doos dicht en tilde het doek van de ezel. 'Laat dat maar staan. Dat hebben we morgen toch weer nodig.'

Sylvi schrok. Als de schildersezel niet naar de kelder gebracht zou worden, zou Jürgen morgen geen mogelijkheid hebben om de kolenschop daar te pakken. Haar plan viel in duigen en er was geen enkele mogelijkheid om met Jürgen te overleggen over een alternatief.

Mijn huid tintelt als hij bij me binnendringt. Hij vult me met zijn warmte. Langzaam, terwijl hij me aankijkt. Zijn ogen worden mijn ogen. Hij dreigt me te verlaten. Ik ben bereid hem te laten gaan. Het is goed. Dan glijdt hij terug naar binnen. Dieper nog, deze keer. Herhaling van onze dans. Naar buiten, naar binnen. Het tempo wordt langzaam opgevoerd. Ik laat me meedrijven in dit genot. In deze vorm van versmelting. Zijn vingers die mijn vingers op het bed drukken. Mijn benen om de zijne. Ons soepele vlees, nat van het zweet. Bewegende borsten, harde tepels. Ze raken zijn borst als hij zich vooroverbuigt om mijn lippen te likken. Steeds blijven kijken in zijn ogen. Elkaar geen seconde verliezen. We ademen dezelfde hete lucht. Hetzelfde intense gevoel. In en uit. Worden meegesleurd door een uitzinnig verlangen. Grenzend aan pijn. Aan de dood. We versnellen de beweging van onze heupen. Aangemoedigd door de klanken van dit spel. Zacht gekreun, opzwepend gehijg. Diep, dieper. In en uit. In. Geen gedachten die me plagen, alleen maar dit golvende gevoel. Uit. Een weg naar boven. In. Naar een hoogte waar ik nog niet eerder ben geweest. Uit. In en uit. In en uit. Samen. In. Zijn gezicht verkrampt. Uit. Een luide kreun. Zijn warme vocht over mijn borsten. Als zachte moedermelk.

We liggen op onze rug en staren naar de ornamenten. 'Lieve, mooie, bekoorlijke Lizzy. Vertrouw je mij?' Zijn stem kringelt omhoog, als blauwe rook.

'Ik geloof het wel, ja. Waarom vraag je dat?'

'Om zeker te weten of ik je iets kan laten zien.'

Ik draai me op mijn zij en steun op mijn arm. 'Wat?'

'Dat kan ik niet zeggen. Je moet het zien.'

'Nu?'

'Nee, vanmiddag om vijf uur.'

'Een zonsverduistering?'

'Nee.'

'Dat was een grap.'

'Dat weet ik.'

Stilte. Ik ga weer op mijn rug liggen.

'Vertrouw jij míj eigenlijk?'

'Anders zou ik het je niet willen laten zien.'

'Klinkt logisch.'

Was ik niet degene die geloofde in de maakbaarheid van dingen? Degene die niets had met lotsbestemming of hogere krachten? Iemand die keuzes maakte op basis van redelijkheid en ambitie? Die romantiek als iets banaals ervoer? Dineren bij kaarslicht, ontbijtjes op bed, eindeloze strandwandelingen. Ik zie ze vaak lopen, de verse stelletjes. Hand in hand over het strand. Alsof het voor het eerst is dat ze de kustlijn zien. Maar waren ze hier niet ook al met Linda en Kim? Met Michael en Tom? Deze keer is het anders. Het voelt anders. O ja? Een hond springt tegen het been van de man op. 'Hé, lobbes. Kom je spelen?' Jaha, het is een dierenvriend dat kun je zien. 'Waar is je baasje?' – *Ga weg, kuthond. Ik loop hier met mijn nieuwe vriendin. Jij past niet in dat plaatje. Bovendien zit mijn nieuwe broek nu onder het zand. Het slijm van je bek plakt aan mijn hand.* – De hond kwispelt nog eens stevig tegen de man aan met zijn lange zanderige haren. Zij: 'O, hij vindt je lief!' Hij: 'Ja, ik heb iets met dieren, die komen altijd op mij af. Ha ha.' – *Flikker nou op, kankerhond!* – In de verte klinkt een fluitje. De hond reageert meteen. Als een dolle rent hij weg van het koppeltje. Hij: 'Nou, gelukkig had hij een baasje. Anders hadden wij hem mee moeten nemen. Ha ha.' Ze pakken de draad van hun romantische wandeling weer op. Alsof het hondenintermezzo niet heeft plaatsgevonden. 'Wat een prachtige lucht,' zegt zij zwoel. 'Nou hè...' verzucht hij diep. Terwijl hij achter hun ruggen het zand van zijn broek schudt en het slijm van zijn hand veegt.

'Ik wil je vragen om precies te doen wat ik zeg.' Markus spreekt de woorden zorgvuldig uit.

'Je weet het wel spannend te maken.'

'Het is serieus.'

'Daar twijfel ik niet aan. Wat wil je dat ik doe?'

'Ga naar je hotel en lees het boek uit.'

Ik richt me weer op.

'Het boek van Monika?'

'Van Andreas Hoffmann.'

'Dat bedoel ik.'

'Hoe ver ben je?'

'Bij de ontsnappingspoging.'

'Goed. Daarna check je uit. Pak je spullen en neem een taxi naar de Grosse Leegestrasse 117. Dat is het adres van de flat van mijn vader.' Ik probeer zijn gezicht te lezen, maar hij blijft uitdrukkingsloos naar het plafond kijken. 'Ik geef je zo wel geld.'

'Dat is niet nodig. En dan?'

'Dan kom ik daar ook naartoe.'

'Wat kan ik verwachten?' Hij draait zich naar me toe. Zijn mond staat strak, zijn ogen glanzen. 'Ik bedoel, is het fijn of juist niet?'

'Dat kan ik niet voor jou beoordelen...' Hij houdt in. Lijkt te twijfelen. 'Het is wel bedoeld als iets... positiefs. Maar meer kan ik echt niet zeggen.' Op zijn gezicht verschijnt een flauwe glimlach. Alsof hij wil zeggen: 'Het is nu eenmaal zo. Je zult het wel zien. Durf je?'

'Volgens mij heb ik je door.' Hij wil natuurlijk dat ik de hotelkamer opgeef en zolang zijn vaders flat betrek.

'Dat zou heel goed kunnen. Kom je?'

'Wie weet. En als ik niet kom?'

'Dan was dit de laatste keer dat wij elkaar zagen.'

'O?'

'Ja.' Hij stapt onverwacht uit bed. Met zijn naakte lijf staat hij voor me en zegt: 'De basis is vertrouwen, Lizzy. Dan pas kan er liefde ontstaan.'

In snelle pas was Sylvi naar huis gelopen. Daar had ze het briefje opengevouwen en zijn woorden gelezen.

Lieve Sylvi, Ik bedank je nu al duizendmaal. Ook al gaat ons plan niet lukken en moet ik het bekopen met een kogel. Mocht het zo zijn dat ze ons oppakken, dan zal ik altijd volhouden dat jij er niets mee te maken had en dat ik degene was die je dwong. Jouw Jürgen

Ditmaal verbrandde ze zijn woorden niet. Ze deed het briefje bij de rest van de spullen beneden, in de kelder. Toen pakte ze de lepel uit de la, haalde de getekende kaart tussen haar schoolspullen vandaan, stopte beide in haar handtas en wandelde naar het bos. Het was twee uur 's middags. De zon stond hoog aan de hemel en haar blouse plakte aan haar lichaam. Ze begroette vriendelijk een voorbijganger. Het was meneer Van Kessel die ze kende uit haar vorige woning. En ze liep doelgericht verder. 'Hoe gaat het met u?' hoorde ze achter haar rug.

'Goed! Dank u.' Ze hield even haar pas in en knikte naar hem.

'De nieuwe wijk zal u vast en zeker niet zo goed bevallen als ons stadsdeel,' zei de man plagend.

'Nee, het is er natuurlijk anders. Een beetje saai soms, maar het is dichter bij het bos en ik hou van de natuur.'

'Wat zegt u?'

'Dat ik van de natuur hou.'

'O ja. Waar gaat u eigenlijk heen?'

'Een stevige wandeling doet een mens goed.' Sylvi wilde doorlopen, maar de man hield niet op met praten.

'Dat zeg ik ook altijd. Zullen we een eindje samen oplopen?'

'Dat is een goed idee, buurman, maar liever een andere keer. Ik ben nu met een fitwandeling bezig.'

'Een wat?'

'Een snelwandeling! Dat is goed voor de longen.'

'In die kledij?' Hij keek haar verbaasd aan.

'Inderdaad! Dag buurman!'

'Dag, schone vrouw.'

Ze mocht die man niet. Hij was bemoeizuchtig en doof. Ze liep het bospad op en telde de dikke naaldbomen. Na zeventien stuks liep ze links het bos in. Acht bomen rechtdoor en dan weer twee naar rechts. Nu werd het moeilijker. Ze moest schuin tussen de bomen door lopen, langs de vele varens, bramenstruiken en brandnetels, tot ze bij een groot gat kwam. Dan langs de stam van een omgevallen boom. Dan nog drie dikke bomen naar links en één naar rechts. Dat moest hem zijn. Ja, ze herkende direct het gekerfde hart in de bast. Vijf voetstappen vanaf de stam en dan graven. Ze trok haar rok omhoog, ging op haar knieën zitten en begon met het wegschuiven van de blaadjes. Daarna pakte ze de lepel uit haar tas en begon als een bezetene te graven. De grond was niet meer zo zacht. Zou het niet iets meer naar links zijn, of juist naar rechts? Nee, dit moest de goede plek zijn. Ze groef zo snel ze kon. Haar arm verdween steeds dieper in de grond. Ze vervloekte zichzelf dat ze het ding überhaupt begraven had. Achteraf gezien was het helemaal niet nodig geweest. Eindelijk, na een halfuur hard doorwerken, stuitte ze op het ijzer. Zelfs toen duurde het nog een kwartier voor ze het kistje eindelijk omhoog kon krijgen. Ze wilde het in haar tas stoppen, maar hoe stom kon ze zijn, het rechthoekige ding paste er helemaal niet in. Het sleuteltje, waar heb ik dat gelaten? dacht ze in paniek. Met haar zwarte aardevingers graaide ze tussen de spullen in haar tas. Waar was het nou? Ze zou het toch niet thuis hebben laten liggen? In de voering. Ze had het uit voorzorg in de voering gestopt. Ze schudde de inhoud van haar tas leeg en zocht naar het gat in de voering. Toen ze het gevonden had, reet ze de stof uiteen. Onder in de tas, op het ruwe leer zag ze het sleuteltje liggen. Gehaast pakte ze het beet en stak het in het slot. Maar zand had het omdraaien van de sleutel onmogelijk gemaakt. Ze vervloekte zichzelf om zo veel dommigheid. Ze trok de sleutel eruit, hield het kistje op zijn kant en sloeg er een paar keer stevig op. Toen blies ze in het gat en drukte de sleutel er weer in. Het slot kraakte, er kwam beweging in. Het lukte. Ze trok de deksel omhoog, pakte de dikke stapels Reichsmarken en deed ze in haar tas. Daarna haalde ze de dubbele bodem uit het kistje, ze graaide de sieraden eruit en stopte ze erbij. Met deze schat moesten Jürgen en zij het wel even kunnen uithouden. De overgebleven spullen propte ze boven op de schat en toen sloot ze haar tas. Ze deed geen moeite om het kistje dicht te maken. Slordig gooide ze het terug in het gat. Tot slot stond ze op en schopte het gat dicht met zand.

'Frau Heinrich!' Geschrokken keek ze om. 'Wat doet u daar? Gaat het niet goed met u?' Uit het struikgewas kwam de oude buurman aangelopen. Hijgend schuifelde hij dichterbij.

'Het gaat wel, dank u.' Ze forceerde een lach.

'Wat hebt u hier gedaan?' Ze keek naar haar zwarte handen en vroeg zich koortsachtig af wat voor smoes ze kon verzinnen.

'Ik… ik was hier even gaan zitten om uit te rusten, maar

toen is op de een of andere manier mijn broche afgevallen, dus ben ik hem gaan zoeken in het zand.'

'Hebt u hem nu gevonden?'

'Wat?' Ze werd afgeleid door de zwetende en zwaar ademende gestalte die voor haar stond.

'Die broche.'

'Ja!'

'Laat eens zien.'

'Ik heb hem al in mijn tas gestopt. Ik wil hem niet nog een keer in het zand laten vallen.'

'U liegt!'

Sylvi schudde haar hoofd. 'Nee, echt niet.'

De oude man kwam dreigend op haar af. Ze kon zijn zure adem ruiken. 'U weet wat er gebeurt met mensen die liegen. Die worden opgepakt en doodgeschoten!'

Ze deed een paar passen naar achteren en raakte met haar rug bijna de boom waarin ze het hart had gekerfd.

'Ik zal niks zeggen, mevrouw Heinrich. Ik ben geen verrader.' Hij deed weer twee stappen in haar richting. Zijn neusvleugels trilden, op zijn wangen zaten dikke zwarte punten en het zweet liep door de groeven van zijn oude huid. 'Maar dan moet u wel wat voor mij terugdoen…' Plotseling schoot zijn hand uit naar haar borst. Van schrik viel ze naar achteren, tegen de ruwe bast van de boom. Hij drukte zich tegen haar aan en begon haar in haar hals te zoenen. De woede die Sylvi op dat moment overviel was er een die opgespaard was van al die momenten dat ze had moeten gehoorzamen. Dat ze mee had moeten buigen tegen haar zin. Ze duwde de man met zoveel kracht van zich af dat hij achterover in de struiken viel. Briesend keek ze op hem neer.

'Smerige, vieze kerel. Raak me met één vinger aan en ik zorg ervoor dat je vandaag nog afgeslacht wordt. Ik zweer het je. Eén vinger. Jij vuile smeerlap!' Ze griste haar tas van de grond en rende weg in de richting van waar ze was gekomen.

Pas toen ze thuis was kwam ze weer een beetje op adem. Deze man, dit verachtelijke lelijke onderkruipsel, had haar bijna de kop gekost. Maar de enorme boosheid die bij haar naar boven was gekomen had ook iets losgemaakt. Die had de angst weggenomen en haar haar oerkracht teruggegeven.

Ik kan besluiten om het vliegtuig naar huis te nemen. Einde avontuur. Terug, om het puin van mijn echte bestaan te ruimen. De confrontatie aangaan met wie ik geworden ben. Oude vriendinnen opzoeken om te kijken wat de vriendschap nog waard is. Mijn moeder verrassen met een bezoek. Naar tante Sjaan die haar laatste dagen in een inrichting slijt. Ik zou mijn broers opnieuw kunnen leren kennen. En werk zoeken dat bij me past. Alles ligt open. Waarom niet?

Of word ik een Lizzy die steeds beter Duits spreekt. Moet ik geloven dat ik mijn ware bestemming heb gevonden. Bij Markus. Die me het verhaal leert van zijn verleden. Die me zijn muziek laat horen. Zijn boeken laat lezen.

Ik herinner me plotseling de titel van de gedichtenbundel die Monika bij zich had. *Gedichten die iemand schreef voor hij van de achtste verdieping uit het venster sprong.* Zou het zelfmoord zijn geweest? Heeft Monika zich uit het raam van Markus' vaders appartement naar beneden gestort? Wil hij me het raam laten zien? 'Kijk hier, aan dit kozijn links, en hier rechts, hield ze zich voor het laatst vast. Kijk, en hier kun je nog een afdruk zien van haar voet. En zie je daarbeneden die donkere vlek? Dat is haar bloed. Nog altijd duidelijk zichtbaar.'

'Interessant.'

'Ja, interessant, hè?'

Vertrouw je mij? Vertrouw je mij? De drie woorden blijven door mijn hoofd spoken. Ja. Ja. Maar waarom die expliciete vraag? De chemie klopt. Lichamelijk contact kan niet liegen of misleiden. Het legt de diepere connectie bloot. Datgene wat ons oprecht kan verbinden. Kán. Als onze woorden het tenminste niet stukmaken. Onze ratio niet iets anders beslist. De angst ons niet doet terugdeinzen. Seks was nooit eerder zo goed. Dat is toch de waarheid. Wie zou daar niet op durven vertrouwen?

Mijn tas staat al ingepakt naast de deur. De wekkerradio geeft kwart over drie aan. Nog bijna twee uur om te twijfelen. Ik sta op om het raam dicht te doen. Ik wil de herrie van het verkeer buitensluiten en rustig kunnen lezen. Dan, als ik langs de spiegel loop, zie ik het ineens. Het licht in mijn ogen. De blos op mijn wangen. De ernstige trek om mijn mond. Jezus christus, Lizzy, geef het nou maar gewoon toe. Je bent verliefd. En als er iets misleidend is, is dat het.

In haar meest kuise jurk zat ze klaar aan tafel. Het geluid van de voordeur deed haar niet opschrikken. Beheerst liep ze naar de hal om hem te begroeten. Voor het eerst sinds lange tijd hoefde ze haar opgewektheid niet voor te wenden. Ze had het zand van zich afgewassen en een koffer gepakt. Onderin had ze het oude burgerkostuum van Klaus gelegd, een overhemd, een paar sokken, ondergoed en een stropdas. Daarna had ze de spullen uit de kelder erbij gedaan en nog wat extra kleren voor zichzelf. Het meeste geld en de sieraden had ze in de voering van haar tas gestopt en die keurig dichtgenaaid. Ze had de doeken die bedoeld waren om de mond van de SS'er dicht te binden, het touw en het zakmes, bij haar spullen in de tas gestopt. Tot slot was ze naar het postkantoor gelopen om te bellen. Aan de telefoniste had ze gevraagd om doorverbonden te worden met een klein pension in Leipzig.

Ze keek toe hoe Klaus haar laatst bereide maaltijd at. Gekruide grillworst met gebakken aardappelen en kool. Ze vertelde hem met gespeelde bezorgdheid in haar stem dat ze een brief van haar moeder had gekregen, die schreef dat ze wat ziekjes was. Ze had daarom besloten om naar Brandenburg an der Havel te gaan. Over een paar dagen zou ze weer thuiskomen. Dat moest ook wel want dan begon de school weer. Ze verzuchtte dat ze de kinderen zo miste. En dat ze niet zou weten wat ze zou moeten doen zonder de liefde voor haar vak. Net zoals hij, die ook zo bevlogen was, en vol ambitie. Ieder deed wat hem of haar paste. Zo had ze doorgebabbeld, tot Klaus zijn bord leeg had en vroeg of er nog meer was. Waarop ze spijtig haar hoofd had geschud.

De nacht was rustig. Niet alleen Klaus hield zich gedeisd, ook de broeierigheid in de lucht had tot geen spatje regen of onweer geleid. Toen ze zeker wist dat hij diep in slaap was, sloop ze naar beneden en pakte ze zijn identiteitskaart uit de binnenzak van zijn jas. Ze verstopte hem in het laatje van de kleine bijzettafel in de hal. Mocht hij toevallig merken dat zijn kaart weg was, dan kon ze altijd nog onnozel doen en zeggen dat ze die gisteren op de vloer had gevonden, onder de kapstok. Waarschijnlijk uit zijn jas gevallen. En dan kon ze de kaart tevoorschijn halen, met de woorden: 'Ik had hem hier zolang opgeborgen.' Maar natuurlijk bad ze dat dat niet zou gebeuren.

Zwijgend slurpte Klaus van zijn koffie. Dit geluid waaraan Sylvi normaal zo'n hekel had, klonk nu bijna als muziek in haar oren. Het waren de klanken van zijn routine. Het beste teken dat hij ontspannen was. Bovendien was dit de allerlaatste keer dat ze ernaar hoefde te luisteren. Een constatering die haar nog het meest gelukkig stemde.

'Je weet dat ik er dus vanavond niet ben als je thuiskomt.'

'Hoezo niet?' Hij keek op van zijn bord.

Ze schrok. Zou hij het vergeten zijn? Had ze het misschien niet duidelijk genoeg gezegd? Hij zou het haar hopelijk niet alsnog willen verbieden. 'Ik heb je toch verteld dat ik na de schildersessie naar mijn ouders vertrek.'

'O dat, ja.' Hij nam een hap van zijn gebakken ei. 'Trouwens,' sprak hij met volle mond. 'Ik heb Emilio eraf gehaald. Die begon zo te zwetsen over zijn liefde voor de kunst. Het leek alsof hij erop afschoot.'

'Hè?' Wat bedoelde hij?

Klaus spoelde de happen met zijn koffie weg en stond op. 'Alsof hij erop klaarkwam, onnozele gans.' De bulderlach die volgde bleef nog zeker een kwartier nagalmen in haar hoofd. Zelfs toen hij allang het huis verlaten had in zijn stijve kostuum, kon ze hem nog horen lachen. Een duivelslach die haar vertelde: 'Ik heb je door en ik zweer het je, vergeet het maar. Het gaat je niet lukken, meisje. Ha ha ha.' Haar handelingen bevroren en haar moed verdween. Apathisch bleef ze aan de keukentafel zitten. Tot een luide donderslag haar weer bij zinnen bracht. Buiten barstte de hemel uit elkaar. Donkere wolken maakten de lucht zwart. Lichtflitsen krasten gevaarlijk boven de stad. De dikke regendruppels die volgden, lieten geen stoeptegel, geen dakpan, geen boom of struik droog. De klok gaf halfnegen aan. Sylvi moest voortmaken. Vandaag was de dag. Ineens kreeg ze de energie terug die ze zo bitter hard nodig had. Tafel afruimen, bed opmaken, de zilveren kandelaar van het dressoir nemen en er een vaas voor in de plaats zetten. Het persoonsbewijs uit het laatje pakken – gelukkig had Klaus niets gemerkt. Het tafelzilver in een handdoek wikkelen en de lege bestekdoos verstoppen. De zilveren lijst om hun trouwfoto vervangen door een houten lijst en hem op zijn vaste plaats terugzetten. Kortom, alles van waarde inpakken en alle sporen wissen. Hier was niets bijzonders gaande.

Sylvi had het gevoel nog nooit zo scherp te zijn geweest. Haar hersenen maakten overuren. Haar lichaam voerde elke handeling met precisie uit. Geen detail zag ze over het hoofd. Geen spoortje bleef er achter.

Ze was gereed. De volle koffer stond klaar bij de deur. De zware tas hing over haar schouder. Ze opende de deur, stak haar paraplu op en stapte naar buiten. Voor de laatste keer trok ze de voordeur achter zich dicht.

Het begon alweer op te klaren. Er vielen nog maar een paar

druppels uit de lucht. Met enigszins gehaaste tred liep ze naar de ingang van het kamp. Gespannen voor wat er komen zou. Voor wie er bij de poort zou staan om haar op te wachten. Het zou toch niet Klaus zelf zijn die de laatste schildersessie zou bijwonen? Nee, dat kon ze zich niet voorstellen. Dat was een te weinig prestigieuze taak voor hem. Maar stel dat het zo zou zijn, dan zou haar plan evengoed doorgaan. Dat nam ze zich stellig voor.

Bij de poort stond niemand te wachten. Vreemd. Ze was om vijf voor tien vertrokken, dus het zou nu zeker tien uur moeten zijn. Nerveus klapte ze haar paraplu in. De regen was nu echt opgehouden. Ze wachtte, haar gewicht van het ene been naar het andere verplaatsend. Net toen er een wachtcommandant op haar afkwam om te vragen of hij haar ergens mee van dienst kon zijn, zag ze achter hem op het kampterrein de gebogen gestalte van Jürgen. Onder begeleiding van een officier kwam hij op haar aflopen.

'Nee dank u. Ik zie dat ze er net aankomen.' Ze wees naar de twee mannen. 'Mijn portret wordt vandaag voltooid.' Ze glimlachte bescheiden naar de commandant, bij wie het kwartje nu ook viel. 'Ach ja, natuurlijk. Mevrouw Heinrich, was het toch?'

'Inderdaad.'

'Dan wens ik u welslagen. Moge het een mooi portret worden,' zei hij terwijl hij de poort voor haar openhield.

'Dat zal wel lukken, hoor. Het gaat nog maar om een paar lijntjes,' voegde ze er haastig aan toe. Deze man mocht geen argwaan krijgen als ze na een uurtje alweer de poort uit zou lopen.

'Niet te veel lijnen, hoor, dat maakt oud.' Sylvi keek hem geforceerd glimlachend na. Jürgen was nu nog maar een paar meter van haar verwijderd. Zijn bewaker was niet Klaus. Dat was een opluchting. Maar wie was het wel? Een vrij kleine man met een gedrongen postuur. Tussen zijn glimmende wangen prijk-te een rode gok. Zijn voetstappen leken te groot voor zijn kor-te benen, waardoor hij helemaal iets clownesks kreeg.

'Goedemorgen, Frau Heinrich. Officier Zamenhof. Aange-naam.'

'Aangenaam.' Sylvi schudde de uitgestoken hand en keek vluchtig naar Jürgen. Door zijn gebogen hoofd kon ze zijn blik niet vangen. Het leek alsof hij zich bewust kleiner probeerde te maken dan de officier. Als het SS-pak van deze kleine dikke man Jürgen maar past, dacht ze bezorgd.

'Nou, dan gaan we maar.' De officier zette er weer kordaat de pas in. Sylvi, die op hakken liep, moest moeite doen om zijn tempo bij te houden, maar dat scheen hem niet te deren. Toen ze bij de deur kwamen, volgde ze secuur de bewegingen die de officier maakte. De sleutel werd twee keer omgedraaid, daarna stopte hij de sleutel in zijn broekzak. Hij deed de deur niet ach-ter hen op slot, iets wat Emilio wel had gedaan. Betekende dit dat hij nog meer mensen verwachtte? Zou de familie Leib-brandt misschien terugkomen van vakantie? Of zou Klaus hebben aangekondigd dat hij van plan was langs te komen? Niet te veel nadenken, nam ze zich voor. Het maakte haar al-leen maar onzeker.

Zoals verwacht stonden de schildersezel, de verfdoos, de kwasten en de kruk precies zoals ze ze de vorige dag hadden achtergelaten. 'Ik hoop wel dat het een beetje opschiet,' zei de officier. 'Ik heb maar tot twaalf uur de tijd.' Hij nam plaats op de bureaustoel waar ook Emilio gezeten had, zonder het doek dat op de ezel stond een blik waardig te keuren.

'Geen probleem, hoor,' Sylvi probeerde zo vriendelijk mo-gelijk te klinken. Ze had allang door dat dit geen aardige, mee-gaande man was. Misschien maar beter ook. Nu hoefden ze Emilio niet neer te slaan en te knevelen. Ze keek naar Jürgen, die geconcentreerd met zijn verftubes bezig was. 'Hoe zat ik ook alweer?'

Hij keek verschrikt op. Alsof ze iets heel anders had gevraagd.

'Eh, met uw benen zit u goed, ja.'

'Met mijn handen ook?' Ze hoopte dat hij naar haar toe zou komen om ze goed te leggen, maar dat deed hij niet. In plaats daarvan zei hij: 'Komt u maar even kijken, dan kunt u zien hoe u er precies bij zat.'

Ze stond op en liep om de ezel heen. De officier keek even ongeïnteresseerd op en richtte zich toen op de krant die hij blijkbaar had gevonden.

Ze ging dicht naast Jürgen staan. Zo dicht, dat ze door haar dunne panty de stof van zijn broek voelde.

'O ja, ik zie dat ik mijn handen net wat anders op schoot heb liggen. Zo.' Sylvi imiteerde met haar handen haar houding op het schilderij. Ondertussen ging ze nog iets dichter tegen Jürgen aan staan. Nu kon ze zijn benen voelen.

'Zo is het beter, ja.' Jürgen week niet met zijn voet opzij om haar meer plaats te gunnen. Hij gaf eerder wat lichte tegendruk. 'Maar als deze houding te lastig voor u is, dan kan ik me wel aanpassen, hoor.' Zijn stem klonk zacht maar zeker. Bedoelde hij met aanpassen ook dat ze de plannen konden aanpassen?

'U hoeft zich niet aan te passen.' Ze keek dwingend in zijn lichte ogen. 'Alles kan gewoon zo blijven als het was.'

'Dan is dat voor mij ook goed, Frau Heinrich.' Hij knikte erbij. Het leek het definitieve startsein voor hun ontsnappingspoging. 'Als u weer ontspannen uw houding kunt innemen, dan prepareer ik ondertussen mijn kwasten.'

'Prima.' Sylvi ging zitten. Jürgen maakte zijn kwasten schoon met een oude lap. Officier Zamenhof las in zijn krant. Ze keek de kamer rond of er voorwerpen waren waarmee ze de SS'er zouden kunnen verwonden. De pook bij de open haard zou het beste zijn. Maar die stond pal naast zijn voeten, dus die zou zij of Jürgen nooit ongemerkt kunnen pakken. De marmeren klok op het tafeltje naast haar? Dat was waarschijnlijk een beter idee.

'Heer officier?' De stem van Jürgen klonk ineens vrij hard. Sylvi schrok op uit haar overdenkingen. Zamenhof keek alert naar hem op. 'Ik zou dit potje even moeten omspoelen om mijn kwasten goed te kunnen reinigen.'

De dikke man kwam moeizaam overeind en keek zoekend om zich heen.

'Eh... in de keuken,' zei hij toen en ging weer zitten. Jürgen stond op. Met een indringende blik keek hij Sylvi aan en knikte weer. 'Ik ben zo terug.'

Sylvi begreep dat dit het moment was. Jürgen draaide zich om en verdween in de keuken.

'Deur openlaten!' riep de officier hem nog na. Snel frummelde ze haar oorbel uit en stopte hem in de mouw van haar jurk.

'O nee!' riep ze toen verschrikt uit. 'Mijn oorbel is gevallen.'

'Uw wat?' vroeg de officier verstoord.

'Mijn oorbel. Hij moet hier ergens op het kleed gevallen zijn.' Bij die laatste woorden dook ze op haar knieën op het tapijt en begon zogenaamd te zoeken. De officier maakte totaal geen aanstalten om haar te helpen.

'Hè, verdraaid. Ik had ze net van mijn man gekregen,' zei ze, terwijl ze zogenaamd paniekerig naar haar oorbel zocht. Eindelijk stond hij op uit zijn stoel, maar hij nam niet de moeite om te bukken. Rechtop, met zijn handen in zijn zakken, bleef hij staan toekijken.

'Misschien kunt u me heel even helpen?' vroeg Sylvi. 'Hij is waarschijnlijk tussen de kranten terechtgekomen.' De man bukte zich traag en tilde een hoek op van de oude krant, waar de schildersezel op stond.

'Ik zie niks,' zei hij ongeïnteresseerd, en hij wilde de krant alweer neerleggen, toen Sylvi zei: 'Meneer Heinrich zal woedend zijn als ik mijn net gekregen oorbel kwijt ben.' Ineens sloeg de houding van de officier om. Blijkbaar had haar man toch enig aanzien verworven binnen het kamp. Hij ging op zijn hurken zitten en begon actief mee te zoeken.

'Hoe ziet hij eruit?' wilde hij weten.

'Het is een witte parel, net als deze.' Sylvi liet hem haar andere oor zien.

'O ja.' Hij zocht verder op de grond bij de schilderssezel.

'Misschien is hij toch meer hier terechtgekomen,' zei Sylvi, in een poging hem aan de andere kant te laten zoeken. Zodat hij de keukendeur niet meer in het vizier had. Het werkte. Hij draaide zich half om en zocht nu samen met haar op het bontgekleurde tapijt. Waar bleef Jürgen nou toch? Ze keek angstvallig naar de marmeren klok, waar ze nu in een handreiking bij kon komen. Moest ze zelf een poging wagen om de officier neer te slaan? Niet bang zijn nu. Nog een paar seconden en deze volmaakte gelegenheid zou voorbij zijn. Ze stak haar hand uit, raakte de klok met haar vingertoppen, boog zich iets verder naar de klok toe en toen... zag ze in een flits Jürgen. Met een luide kreet stortte hij zich op de rug van de officier. Die had niet eens de tijd om te reageren. Sylvi sloeg de man hard op zijn hoofd met de klok, terwijl Jürgen met kracht het grote keukenmes nog een keer in zijn rug stootte. De man kreunde, probeerde iets te zeggen, maar er kwam slechts een rochelend geluid uit zijn mond. Hij hief zijn hand, draaide zijn gezicht half om en viel toen slap neer op de grond.

Met grote ogen staarde Sylvi naar de brede rug waaruit het heft van het mes stak, nog altijd vastgehouden door Jürgen. Alsof hij bang was dat de officier opnieuw zou gaan bewegen. Maar hij bewoog zich niet meer. Zijn ademhaling was gestopt. Tranen welden op in Sylvi's ogen. Gebeurde dit echt?

Hadden ze daadwerkelijk iemand vermoord?

'O mijn god... mijn hemel...' begon ze schokkerig. 'We... we zouden hem alleen maar bewusteloos slaan en hem dan vastbinden. Ik heb het touw in mijn tas...'

'Ik... ik zag geen andere mogelijkheid. Het spijt me, Pinky.' Dat woord, dat koosnaampje, dat hij altijd gebruikt had... Het bracht haar terug bij haar roeping. Geen tijd voor berouw of twijfels. Doorgaan.

'O, Jürgen... We gaan. We gaan hier echt weg.'

Jürgen keek haar strijdlustig aan. 'We gaan, ja.' Toen trok hij haar naar zich toe en hield haar stevig vast. 'Dank je, lieve Pinky. Zonder jou was ik allang gestorven. Dank je...' Sylvi rook de muffe geur van zijn ongewassen pak. Zijn zweetlucht en zijn slechte adem. Het deerde haar niet. Ze was bevrijd van Klaus. Nooit meer terug naar dat huis. Naar dat van haat doorspekte leven.

'Kom, we moeten snel zijn.' Hun missie was nog lang niet volbracht. Ze keek naar de grote bloedvlek die de eerste messteek op de jas van de officier had gemaakt, en naar de nog grotere bloedvlek rondom het mes dat uit zijn rug stak. 'Dat uniform kunnen we niet meer gebruiken.'

'Ik ga wel wat uit de kast van de dokter halen.'

'Maar dat is van een heel andere rang.'

'Des te beter, dan durft niemand mij iets te weigeren.' Voor het eerst verscheen die kwajongensblik die ze zo goed kende.

'Ik ga naar boven, kleed jij je maar vast uit.' Sylvi stond op. 'En o ja, pak de sleutel uit zijn broekzak en draai de deur voor de zekerheid op slot. We kunnen geen pottenkijkers gebruiken.' Ze liep de gang in en haastte zich de trappen op naar boven. Was zij dit? Deze daadkracht, deze heldhaftigheid. Misschien was het overmoed. Het kon haar niet schelen. Zelfs al zou ze binnen vijf minuten sterven door een kogel, het was het haar allemaal waard.

Ze trok de deur van de ouderslaapkamer open. Raak. Hier hing zijn ss-kleding. Beneden hoorde ze Jürgen de voordeur dichtdraaien. Opgelucht zocht ze verder tussen de verschillende pakken. Ze mocht niet de fout maken om Jürgen een kostuum voor speciale gelegenheden aan te geven, dat zou echt te veel opvallen. Ze koos het minst opvallende jasje, vond een bijpassende broek, een beige overhemd, stropdas en pet. Griste toen nog een paar sokken en een paar nette schoenen mee en liep met volle armen naar beneden. Jürgen was alleen nog bezig zijn sokken uit te trekken. Toen hij haar zag, wendde hij vrijwel meteen zijn ogen af. 'Hier, trek maar snel aan.' Ze legde de spullen over de stoelleuning, zette de schoenen op de grond en deed alsof ze niet doorhad dat hij zich schaamde. Alsof ze niet zijn uitgemergelde lichaam zag, vol rode vlekken en bulten. De groezelige onderbroek die met nog maar een paar draadjes om zijn heupen hing. Stom dat ze niet ook een onderbroek had gepakt.

'Begin maar bij het overhemd,' zei ze, en ze rende terug naar boven. In de commode pakte ze een kraakheldere onderbroek van de dokter. Toen ze weer beneden kwam, zag ze dat Jürgen als eerste de lange broek had aangetrokken.

'Ik had nog…' Ze wilde hem de onderbroek aanreiken.

Hij schudde zijn hoofd. 'Liever mijn eigen stinkende goed, dan de vezels van dat monster rond mijn billen.'

Sylvi moest lachen. Hij was nog net zo trots als vroeger. Hij lachte schouderophalend terug, keek toen weer serieus. 'Wat heb je bedacht?'

Terwijl ze een voor een de spullen uit haar tas haalde, legde ze haar plan uit. 'Het lijkt me het beste dat jij als eerste het kamp verlaat. Je moet eerst naar mijn huis. Hier is de sleutel. Je hoeft alleen maar de koffer te pakken die achter de deur staat. Het adres heb ik hier opgeschreven. Het is de Adolf Hitler Dam nummer 24. Als je het kamp uit loopt, ga je eerst schuin

naar rechts en dan neem je de tweede straat links. Na honderdvijftig meter aan je linkerhand is het huis. Aan de overkant van
de straat staan de huizen van de hoge officieren, dus pas op.
Dan loop je door naar het station. Hier, ik heb een plattegrond voor je getekend. Dit is je treinkaartje naar Leipzig.
Hier is de identiteitspas van mijn man, Klaus. Die laat je zien
als ze er naar vragen. Dit is het adres van het pension waar we
de eerste nacht verblijven. Hou je pet op als je je laat registreren en spreek zo autoritair mogelijk. Aan een hoge officier
zullen ze geen vragen durven stellen. Ik kom zo snel als ik
kan.' Ze moest op adem komen na zoveel ingestudeerde
woorden.

'Ik heb liever dat jij als eerste vertrekt. Dan loop je minder
risico.'

'Nee, dat gaat niet.' Ze klonk vastbesloten. 'Het zou te veel
opvallen. Het is pas halfelf. Ik moet hier nog minstens een halfuur wachten wil het geloofwaardig zijn dat het schilderij af is.'

'Weet je het zeker?'

Sylvi knikte. 'Het is alles of niks. Voor ons allebei.'

'Goed dan,' zei hij en hij maakte snel de laatste knopen van
zijn overhemd dicht. Sylvi pakte de stropdas die op de vloer
was gevallen. Ze probeerde het logge lichaam van de officier te
negeren. Gelukkig kon ze zijn gezicht niet zien in deze positie.

'Doe je voorzichtig?' vroeg ze terwijl ze Jürgen de das om-
knoopte. Een vertrouwde handeling, alleen de man die voor
haar stond, zijn haar, zijn gezicht, zijn uitdrukking, was anders. Geen weg meer terug. Dat was wat er door haar hoofd
schoot. De das was gestrikt. Ze streek hem nog even glad en
wilde zich omdraaien naar de jas die over de stoel hing, toen hij
haar arm beetpakte. In zijn ogen stonden tranen. Hij zei niets.
Ze slikte. Wist wat er ging komen. Langzaam kwam zijn gezicht dichterbij. Ze sloot haar ogen en voelde hoe hij haar teder zoende. Een kus die niet verder ging dan een oppervlakkige

aanraking. Een intimiteit die een seconde duurde, maar die genoeg belofte inhield voor een heel leven.

Waarom zou Markus willen dat ik het boek uitlees voor ik naar zijn ouderlijke woning kom? Wat heeft dit boek ermee te maken? En waarom moet ik per se naar dat huis van zijn vader – waarin Monika nog niet dood gevonden wilde worden? Waarom zoveel mysterie opwerpen? Markus' geheim moet te groot zijn om plompverloren uit de doeken te doen. Misschien is het risico dat hij neemt door het me te onthullen nog veel groter dan het risico dat ik neem. Wil hij mijn commitment voor hij verdergaat, omdat ik hem anders later zal verwijten dat hij het niet eerder verteld heeft? Zoiets als: 'Lizzy luister, ík ben Monika. Ik heb me laten ombouwen – goed gelukt trouwens, hè? – en ik wil eerlijk tegen je zijn. Net zo eerlijk als jij bent tegen mij. Daarom vond ik het ook zo frappant dat jij dacht dat jíj Monika was. Ha ha ha.'

Of: 'Kijk, dat was mijn vader. Op wie lijkt hij? Nou? Nou? Zeg het maar. Inderdaad. Mijn vader was het geheime kind van Eva Braun en Adolf Hitler. Hij kon er niks aan doen. Net zomin als ik. Maar die vooroordelen, hè.'

Of: Een ring, een huwelijksaanzoek. Op zijn knieën bij de voordeur. Vijf over vier. Nog precies vijfenvijftig minuten en dan begint de serenade. Het gegalm van de plaatselijke fanfare. Markus voorop met zijn trombone. Aan het uiteinde van zijn instrument hangt een rood hart, dat door zijn gepassioneerde speelstijl steeds gevaarlijk dicht bij mijn gezicht komt.

Weggaan of blijven. Wat moet ik doen? Ik word gek van mijn hysterische gedachten. Mijn domme kop vol half afgemaakte zinnen, voorstellingen, doemscenario's. Ik kleed me snel uit en zet de douche aan. Ik moet de helderheid terugkrijgen in mijn hersenpan. De orde. Nu dreigt de chaos – wantrouwen, angst – mijn initiatieven over te nemen. Ik voel of het water al warm is. Dan, terwijl ik in de douchebak stap, maakt mijn voet een uitglijer. Ik schiet bijna onderuit. Nog net op tijd kan ik me vastgrijpen aan het douchescherm. Ik schaaf mijn hand, breek een nagel, maar het lukt me om overeind te blijven. Een ongeluk bij een geluk. Omgekeerd. Stel je voor! Ik had met mijn nek op de rand van de douchebak kunnen vallen. Ik had in mijn slaap een kraan kunnen boren. Met mijn voorhoofd tegen de tegels kunnen ketsen. Zo hard dat ze waren gebroken. De tegels én mijn hoofd. Dan had ik nu geen beslissing hoeven nemen. Een geluk bij een ongeluk.

Ruw droog ik me af. Wat heb ik te verliezen?

De dame bij de receptie bedankt me voor mijn verblijf. Dat ik wel een nacht extra wil betalen omdat het bijna halfvijf is, vindt ze niet meer dan normaal. Ik groet haar beleefd en loop naar de matglazen deur van de uitgang. Dan bedenk ik me. Er is nog tijd.

'Kan ik hier ergens bellen?'

'Ja, hoor. Daar hangt de telefoon.' Ze wijst op het jarentachtigtoestel dat naast de deur van de toiletten hangt. 'Het is voor binnenlandse gesprekken twee euro, voor Europa drie en intercontinentaal vijf euro per minuut.'

'Bedankt.'

'Eerst een nul kiezen.'

Ik toets het nummer in. De telefoon gaat over. Ik wacht. Na

zestien keer wil ik het opgeven. Dan wordt er plotseling toch opgenomen.

'Ja!'

'Hi, mam.'

'Ja hallo, met mevrouw Koster! Wie is daar?'

'Ik ben het...'

'Hallo?! Iets harder graag. Ik hoor slecht!'

'Met Liesbeth!'

'Liesbeth meiske, wat heb ik jou lang niet gehoord. Hoe gaat het?'

'Goed wel. Ik ben in Berlijn.'

'Wat?'

'In Berlijn!'

'Ohooo. Voor je werk of wat?'

'Nee, ik ben ontslagen.'

''t Is niet waar! Hoe kan dat nou toch?'

'Ruzie met de baas. Geeft niet, mam, ik vind wel weer iets nieuws.'

'Ja, ja. Zo gemakkelijk gaat dat niet altijd. Maar wat doe je dan in Duitsland? Daar is het echt niet beter, hoor.'

'Misschien niet, nee, maar ik moest er even tussenuit.'

'Is je vriend mee?'

'Nee, het is uit.'

'Wat zeg je?'

'Uit!'

'Dat meen je niet!'

'Jawel, mam. Hij is verliefd geworden op een ander.'

'Alsjeblieft zeg! Weet je, ik had altijd al het gevoel dat het niet voor eeuwig was. Wees maar blij hoor, kind.'

'Mam. Ik bel eigenlijk om te zeggen dat ik je lief vind.'

'Meiske toch, ik denk ook veel aan jou, hoor! Ik ben niet zo'n held met de trein. Anders zou ik heus wel wat vaker komen.'

'Dat weet ik wel...'

'Och, ik moet ophangen, mijn vlees brandt aan! Bel je als je weer in Nederland bent?'

'Doe ik!'

'Houdoe!'

'Houdoe, mam...'

Ze heeft al opgehangen. Vierenveertig was ze toen ze mij kreeg. Ze dacht dat ze in de overgang was, maar ik was in aantocht. Toch nog een meisje, ja. Het bidden had geholpen. Nu nadert ze de tachtig. Ze weigert een gehoorapparaat, net zoals een staaroperatie en de maaltijden van Tafeltje-dek-je. De boerderij verlaten voor een bejaardenflat is een verboden onderwerp. Ze moet voor haar vee zorgen. De laatste twee koeien zijn een halfjaar geleden kort na elkaar gestorven. Maar elke dag brengt ze nog voer naar de stallen. Wat Pieter, mijn oudste broer, 's middags weghaalt. Ze beweert dat het goed gaat met haar runderen zolang ze nog eten. Haar eigen huis lijkt intussen steeds meer op een zwijnenstal. Aan uitmesten komt ze niet meer toe.

Ze hadden gekeken of de kust veilig was. Toen kwam het moment van afscheid nemen. De komende minuten zouden allesbepalend zijn. Ze keken elkaar aan. Nog een laatste korte omhelzing. 'Dank je voor alles' en 'ik zie je straks,' voldeden. Maar ze wisten allebei dat er een grote kans was dat ze elkaar helemaal niet meer zouden zien. Nooit meer.

Jürgen wierp nog een snelle blik door de opening van de deur en liep toen naar buiten. Sylvi draaide de deur achter hem op slot. Door het zijraam zag ze hem weglopen. Rechte rug. Stijve tred. Met kloppende slapen liep Sylvi terug naar de woonkamer. Ze ging weer zitten op de stoel waarin ze geposeerd had. Zou Jürgen het redden? Kon hij goed genoeg acteren om langs de wachtcommandant te komen? Het ss-kostuum was veel te wijd, maar van een afstandje viel het niet op. Ze durfde nauwelijks adem te halen. Alsof de geringste luchtverschuiving een ontploffing teweeg zou brengen die alles zou verpulveren. Ze stelde zich voor hoe Jürgen nu over het kampterrein liep. Hoe hij medegevangenen – maten van hem – zou moeten passeren. Ze zouden zich moeten buigen. Zoals dat hoorde wanneer er een ss'er voorbij kwam. Hij zou vriendelijk zijn hand op moeten steken naar zijn zogenaamde collega's. Mannen die hij haatte. Misschien moest hij zelfs een praatje maken met de een of ander. Met Klaus! Die zou hem onmiddellijk ontmaskeren. Lieve help! Dit was een actie die gedoemd was om te mislukken. Het alarm kon nu elk moment afgaan. En dan? Jürgen zou gefusilleerd worden en Sylvi zou zijn plaats in het KZ moeten innemen. Of ze werden beiden opgehangen, terwijl Klaus met een wraakzuchtige grijns toekeek. Wat had ze gedaan? Haar eigen graf gegraven, geobsedeerd door een kinderlijke fantasie? Wacht! Zo moest ze niet denken. Binnensmonds begon ze te tellen. Van een tot honderd, tot tweehonderd, driehonderd. Tot ze bij vijftienhonderd was. De sirenes waren nog steeds niet afgegaan. Kon ze hieruit concluderen dat hij veilig langs de poort was gekomen? Ze hoopte vurig dat hun vlucht daadwerkelijk zou slagen.

Een half uur later zat ze nog steeds in dezelfde positie. Alsof ze model zat voor een portret dat nooit af zou komen, zo poseerde ze voor de niet-aanwezige schilder. Gespitst op ieder geluidje. Op iedere beweging die deze stilstaande wereld zou kunnen verstoren. Ze vormde een stilleven samen met het onvoltooide schilderij voor haar neus en het lijk aan haar voeten. Van hieruit zag ze de helft van het gezicht van de dode man. Het open oog dat leek te staren naar iets in de verte op de vloer. Misschien naar haar denkbeeldige oorbel. Ze zag zijn halfopen mond. Scheef weggezakt door het gewicht van zijn vlezige wangen. Zo moest zijn vrouw hem ongeveer hebben gezien. Elke nacht als hij sliep. Zou zij wél van haar man gehouden hebben? Ze voelde de trouwring om haar vinger. Ze neigde ernaar hem af te doen, maar realiseerde zich dat het te vroeg was. Iemand kon het opmerken nog voor ze in de trein zat. Nee, geen onnodige risico's nemen. Geen paniek. Zich niet laten afleiden door het dode lichaam. Als ze eerlijk was, deed dat levenloze lijf haar niet eens zoveel. Het was dood, ja.

Plotseling hoorde ze een mannenstem, gevolgd door zware

voetstappen. Het geluid kwam van ver. Maar werd het niet steeds luider? Hadden ze Jürgen alsnog ontdekt en stormden ze nu af op het huis waar zij zat? Ze stond niet op om te gaan kijken door het raam. Ze verstopte zich niet, rende niet weg, maar probeerde het onheil te bezweren met haar geest. Het voetgestamp klonk nog dichterbij. Sylvi gaf haar weerstand op. Met gesloten ogen wachtte ze op het moment dat de deur open zou zwaaien en ze haar kwamen halen. Ze was bereid haar lot te aanvaarden. Een groot gevoel van gelatenheid overspoelde haar. Langzaam ontspande haar versteende lijf zich. Kome wat komen zal. Het is goed.

De voetstappen verdwenen. Hoe lang ze daar precies gezeten had, kon ze niet zeggen. De klok waarmee ze de officier op zijn hoofd had geslagen lag ondersteboven naast het dode hoofd. Ze kon dus niet zien hoe laat het was. Voor haar gevoel moest er al genoeg tijd verstreken zijn. Misschien zelfs te veel. Ze stond op. Streek haar jurk glad, duwde wat losse plukjes terug in haar opgestoken haren en pakte haar tas. Ze trok het touw eruit – dat was tenslotte nergens meer voor nodig – en legde het op de stoel. Met stijve ledematen liep ze naar de gang. De sleutel had ze na het afscheid van Jürgen aan de binnenkant van de voordeur laten zitten. Ze draaide hem om en pakte haar paraplu mee, het enige wapen dat ze bezat. Buiten scheen de zon. Het was opnieuw een stralende dag.

Het terrein lag er vrijwel verlaten bij. Sylvi passeerde slechts een handvol gevangenen met twee SS'ers. Zonder aandacht liep ze aan hen voorbij. Tot ze haar naam in haar rug hoorde. 'Sylvi!'

Ze schrok. Dat was Klaus! Ze draaide zich beheerst om. Hoe lang kon ze dit nog volhouden?

Lachend kwam hij op haar afgelopen. 'Als dat niet mijn mooie vrouw is!'

Nog even en haar benen zouden het begeven. Ze zou op de

grond zakken en alles zou in elkaar storten.

'Word je niet begeleid naar de uitgang?'

Ze mocht de controle niet verliezen. Rustig praten. Er was hier niets bijzonders aan de hand. 'Ach, nee. Ik heb gezegd dat ik het zelf wel kon vinden.'

Hij stond nu zo dicht bij haar dat hij haar kon aanraken. De collega van Klaus liep samen met het groepje gevangenen door.

'Slordig,' zei Klaus bestraffend. 'Wie was het?'

'Zamenhof.' Ze zei het zonder hapering.

'Ik zal hem er vanmiddag eens op aanspreken.'

'Dat is niet nodig, lieverd. Zal ik mijn ouders jouw groeten overbrengen?' probeerde Sylvi het gesprek een andere wending te geven.

'Doe dat.'

'Dan ga ik nu, anders kom ik nog te laat.' Ze kneep stevig in de hendels van haar tas om het beven van haar handen te stoppen.

'Goed. Tot over een paar dagen.'

'Ja. Dag.'

Ze wilde weglopen, maar hij hield haar tegen aan haar arm. 'Sylvi?' Hij keek haar doordringend aan.

'Ja?' Ze slikte.

'Je ziet er mooi uit.' Ze forceerde een glimlach. Toen liet hij haar eindelijk gaan.

Bij de poort groette ze de wachtcommandant vriendelijk terug. Op de vraag of het mooi was geworden, knikte ze bescheiden. Ze wenste hem een fijne middag en liep door de openstaande poort. Haar neiging om het op een lopen te zetten was zo groot dat ze hem nauwelijks kon onderdrukken. Ze moest rustig blijven. Het was nog niet volbracht. In normaal tempo vervolgde ze haar weg. Toen ze na tien minuten het station be-

reikte, stond de trein naar Berlijn al klaar. Ze kon direct in-
stappen.

Na de overstap in Berlijn duurde het nog twee uur voordat de
trein in Leipzig zou arriveren. De coupé was vrijwel leeg. Ze
was op een plekje bij het raam gaan zitten. Uit haar opgestoken donkerblonde lokken trok ze de spelden en schudde ze
los. Dat luchtte op. Ze keek door het raam naar het goudkleu-
rige landschap dat ze doorkruiste. Granenvelden, zonnebloe-
men, weiden met grazende koeien, bossen en meren. De regen
van die ochtend had het stof van de aarde geveegd en die haar
glans en frisheid teruggegeven. Sylvi dacht aan haar jeugd in de
natuur in Brandenburg. Een jeugd die zorgeloos en vrij was geweest. Daarvoor was ze haar ouders veel dankbaarheid ver-
schuldigd. Maar in plaats van een dochter te worden op wie
haar ouders trots konden zijn, zou ze hun nu enkel schaamte
en verdriet bezorgen. Eerst zou het bericht hen bereiken dat
ze een gevangene had helpen vluchten. Dan zouden ze waarschijnlijk verhoord worden en misschien zelfs gemarteld. Ten
slotte zouden ze, na een paar maanden zonder enig levenste-
ken van haar of Jürgen, denken dat Sylvi dood was. Kon ze het
hun maar uitleggen.
  Sylvi werd opgeschrikt uit haar gedachten toen een groep
jonge militairen haar coupé binnenliep. Zouden ze het al
doorhebben? Was er een telegram uitgegaan naar alle gezag-
hebbende instanties, met haar naam en signalement? De militairen liepen al grappend met elkaar aan haar voorbij. Misschien waren ze op verlof. In elk geval was er hier geen sprake
van de missie een hoogverraadster op te sporen. Ze haalde opgelucht adem. Nog even en dan zou ze Jürgen terugzien. Dan
zou haar nieuwe leven pas echt beginnen. Dan kon de trouwring eindelijk af. Haar haar kon worden geknipt en geverfd. Ze
zou anders gaan heten, anders praten, anders lopen. Ze zou

een nieuw identiteitsbewijs bezitten met daarop een nieuwe naam en een nieuw gezicht.

Op het station in Leipzig vroeg Sylvi aan voorbijgangers naar de Nikolaistrasse, de straat waar het pension zich bevond. Zelf was ze nooit in deze stad geweest. Ze had hem lukraak gekozen. Gelukkig konden de vriendelijke mensen die ze had aangesproken haar precies vertellen waar ze heen moest. Terwijl ze in de richting van het stadscentrum liep, vroeg ze zich af of Jürgen deze weg ook gelopen had. Of hij, net zoals zij nu, zenuwachtig was geweest. Zweetdruppeltjes parelden op haar voorhoofd. De mantel en de zwarte jurk waren veel te warm voor de tijd van het jaar. Maar ze had alvast een kleine voorsprong willen nemen op de aankomende herfst. Het waren de laatste dagen van de zomervakantie. Volgende week zouden de kinderen op school het zonder haar moeten stellen. Het nieuws zou zich snel door Oranienburg verspreiden. De vrouwen van de ss'ers zouden haar zwartmaken. 'Onbehoorlijk, onbetrouwbaar, van laag allooi.' Haar foto zou in de kranten verschijnen, net als die van Jürgen. Een voorbeeld van hoogverraad. Een schande voor iedere staatsburger. Ze zou in alle hoeken en straten van het land gezocht worden. Voor eeuwig op de vlucht…

Maar zou er dan niemand zijn die, net zoals zij, een afschuw had van die zogenaamde onberispelijke wereld? Die evenzo walgde van het zelfingenomen, arrogante gedrag van de ss'ers? Sylvi had geloofd in deze nieuwe maatschappij. De economie bloeide weer, ja. Maar wie moesten daarvoor bloeden? Hoeveel moorden werden daarvoor gepleegd?

Ze belde aan bij het pension. Het zweet stond in haar handen. Zou hij er zijn? Was het hem gelukt? Nog een paar seconden en dan wist ze het. De deur werd vrijwel meteen geopend.

Toen ze vroeg om kamer zeven, zei de pensionhoudster nors dat die al bezet was. Sylvi hapte naar lucht. Dit was geweldig. Het betekende dat hij er was! Ze moest moeite doen om haar blijdschap niet te tonen. 'Ja, dat is mijn man.'

'Frau Heinrich?'

'Klopt.' Ze overhandigde haar persoonsbewijs en wachtte ongeduldig tot de vrouw haar gegevens overschreef. 'Het is de tweede verdieping, de eerste deur rechts,' zei de vrouw ineens een stuk aardiger. 'Uw man is als het goed is op de kamer. Moet er nog bagage naar boven gedragen worden?'

'Nee, dank u,' zei Sylvi met een glimlach. 'Ik reis met weinig bagage. Het is tenslotte maar voor één nacht.' Ze klopte op de tas die om haar schouder hing.

'Dan wens ik u een prettig verblijf, Frau Heinrich. En mocht u langer willen blijven, dan is dat uiteraard mogelijk.'

Sylvi bedankte haar met evenzoveel gemaakte vriendelijkheid en liep naar boven.

Ze klopte zacht op de deur. Er kwam geen reactie. Misschien was hij in slaap gevallen. Nog een keer kloppen. Nu wat harder.

'Ja?' hoorde ze achter de deur. 'Ik ben het, Sylvi.' Ze hoorde hoe de sleutel werd omgedraaid en de klink naar beneden werd gedrukt. Toen zag ze hem, door de deur die slechts tot een kier werd opengemaakt. Alsof hij zich er eerst nog van moest overtuigen dat zij het echt was.

Een glimlach verscheen op zijn gezicht. Zijn ogen glansden. Voorzichtig trok hij haar naar binnen en duwde de deur achter haar dicht. Toen omhelsde hij haar.

'Sylvi… het is ons gelukt! We hebben het gehaald!' Zijn stem sloeg over van emotie.

Sylvi's hoofd duizelde. Het was echt gelukt, ja. 'Jürgen, ik… het spijt me… ik…' Haar woorden bleven steken. Ze kon het vallen niet meer tegenhouden. Zijn armen, stevig om

haar heen, hielden haar overeind. Haar opgespaarde verdriet ontsnapte. Klanken diep vanuit haar binnenste, kwamen schokkerig naar buiten. Tranen stroomden. Eindelijk was ze vrij.
Vrij.

Ik lees nog een keer de laatste zinnen van het verhaal. Het boek is uit. Of nee, wacht eens. Er zijn bladzijden uitgescheurd. Het verhaal stopt niet hier. Waarom ontbreekt het einde? Zouden Sylvi en Jürgen alsnog gepakt zijn? Wilde Monika liever geloven in een happy end en heeft ze het laatste hoofdstuk weggegooid? Of zouden de ontbrekende zinnen iets verraden van wat Markus me wil onthullen? Nee, dat zou onlogisch zijn. Het was Monika's boek. Zij had het bij zich, een jaar geleden in Londen.

Op straat houd ik een taxi aan. Ik vraag door het openstaande raampje hoe lang een rit duurt naar de Grosse-LeegeStrasse. 'Tien minuten, dame,' is het antwoord uit het vriendelijke hoofd. Het is kwart voor vijf. Dat zou ik moeten kunnen halen. Ik stap in en noem het huisnummer waar ik moet zijn. De chauffeur kijkt over zijn linkerschouder en draait de weg op.

De taxi stopt voor een lelijke grauwwitte flat met kleine ramen. De straten werden steeds kaler naarmate we dichter bij de bestemming kwamen. De huizen hoger. De kleuren fletser. Tijdens de dertien minuten durende rit heeft de chauffeur niks tegen me gezegd. Alsof hij aanvoelde dat ik niet wilde praten. Ik reken af en pak mijn tas uit de auto. De chauffeur doet het portier achter me dicht en wenst me nog een fijne dag.

Ik sta alleen in een straat die ik niet ken en waar ik normaal gesproken nooit zou zijn gekomen.

Als ik in de portiek tussen de vele namen het juiste nummer heb gevonden, druk ik op de bel. Mijn vinger trilt. Karl Brückner, lees ik op het naamplaatje. Dat zal zijn vader zijn. Ik schrik van de zoem die me uitnodigt de deur te openen. Met mijn hand druk ik tegen de ijzeren stang die diagonaal over de deur loopt.

'Hallo...' probeer ik, half binnen, half buiten. Ik hoop de stem van Markus te horen. Via de intercom of vanboven. Iets luchtigs. Maar er komt niks. Ik stap het trappenhuis binnen en laat de stang los. Het is doodstil. Dan valt de deur met een klap achter me dicht. Het bord aan de wand geeft aan waar de verschillende appartementen zich bevinden. Nummer 117 is de linkerdeur op de bovenste etage. Ik zet mijn voet op de eerste trede. Het gewicht van de tas in mijn hand lijkt vertienvoudigd. Alsof ze aan mijn arm trekt om me tegen te houden. 'Doe het niet! Doe het niet!' Ik vraag me af waar ik zo bang voor ben. Door de ramen met tralies tekent de namiddagzon felle strepen op de grijze tegelvloer. Er zijn geen geluiden, behalve die van mijn eigen voetstappen. Het ruikt er fris en chemisch tegelijk. Waarschijnlijk is er net schoongemaakt. Nog één etage en dan ben ik er. Ik vertraag mijn passen. Wat maakt me toch zo bang? Was het de blik in Markus' ogen, of zijn stem die af en toe haperde? Of is het simpelweg mijn intuïtie die me probeert te waarschuwen: 'Het is hier niet veilig, ga terug!' Het hoeft niet. Ik kan nog omkeren...

De deur op de vierde verdieping staat open. Ik blijf weifelend voor de ingang van de woning staan. 'Markus? Ben je daar?' De woorden kaatsen via de wanden van de donkere gang terug in mijn gezicht. De drempel lijkt een onneembare hindernis. 'Markus?' probeer ik nog een keer. Mijn god, wat is dit voor een macaber spelletje? 'Positief', dat woord gebruikte hij toch? Nou, tot nu toe is er geen lol aan. Waar gaat dit over? Verras je nieuwe vriendin. Als ze eenmaal heeft bewezen dat ze zonder eisen of voorwaarden te stellen doet wat je vraagt, zit je gebakken. Dan kan achter de deur, aan het einde van de donkere gang, het feest gaan beginnen.

Mijn woede stijgt. Stom gedoe! Weggaan of blijven? Ik ga weg. Geen zin in deze flauwekul. Maar niet zonder te zeggen dat ik het een belachelijke actie vind van hem. Boos stap ik de gang in. Drie, vier, vijf, zes passen. Ik twijfel geen seconde meer, druk de klink naar beneden en zwaai de deur open. 'Hallo? Markus? Ik vind dit echt nergens op slaan!' In de vrijwel kale ruimte zit hij met zijn rug naar me toe in een groene jarenzeventigfauteuil. Op zijn hoofd heeft hij een koptelefoon. 'Markus!'

Plotseling draait de stoel honderdtachtig graden om en kijkt hij me verschrikt aan. Christus, wie hoort hier nou te schrikken? Onhandig zet hij de koptelefoon af en buigt zich voorover om de stereo-installatie uit te zetten. 'Sorry, stond je hier al lang?'

'Dat weet je toch? Je hebt me horen aanbellen. Wat is dit? Waarom moet het allemaal zo geheimzinnig?'

'Het spijt me, Lizzy.' Hij staat op uit zijn stoel en komt naar me toe gelopen. 'Ik moest nog even iets beluisteren. Ik had de deur voor je opengezet.' Zijn handen pakken de mijne beet. Ze voelen klam, net als die van mij.

'Ik wil graag antwoord.'

'Dat snap ik.' De manier waarop hij me schuin van onderen aankijkt, doet mijn woede alweer smelten. Het maakt me week in mijn knieën. 'Je krijgt antwoorden. Maar ga eerst even rustig zitten.' Hij maakt een uitnodigend gebaar naar de groene fauteuil. Ik zucht diep, laat mijn tas op de grond vallen en plof neer. 'Ik ga wat te drinken voor je halen. Maar eerst...' Hij draait de stoel terug naar de positie waarin hij stond toen ik binnenkwam. '... wil ik je het uitzicht laten zien dat mijn vader iedere dag had.' Ik denk: het zal allemaal wel. Toch doe ik wat hij vraagt en kijk uit het raam voor me. Het enige dat ik zie is het gebouw aan de overkant. Volgens mij precies zo'n zelfde flat als waarin ik nu zit. Ik kijk vragend over mijn schouder. Maar Markus is al weggelopen. In de gang hoor ik de voordeur dichtvallen. Ik draai me weer naar het levenloze uitzicht. Een somber beeld. Is dat wat hij me wil vertellen? 'Het was een deprimerende boel, een uitzichtloos bestaan. Zo zie je maar dat jij het nog niet zo slecht had tussen het groen en de bruin-witte koeien. En maar klagen en zeuren. Als je daar nou eens mee ophoudt, lieve Lizzy, en ziet wat je hebt. Wat wij samen kunnen hebben. Als je dat tot je kunt laten doordringen, wil ik je ten huwelijk vragen. Wil ik je verzekeren dat ik voor eeuwig en altijd de jouwe ben.'

'Daar ben ik weer.' In zijn handen prijkt een dienblad met twee glazen en een fles champagne. Voorzichtig zet hij het op de kleine salontafel. 'Momentje nog.' Met mijn ogen volg ik zijn lange benen die naar het open zijkamertje lopen. Hij pakt een van de vier houten stoelen die bij de eettafel staan en zet hem naast de fauteuil. 'Zo. Je hebt toch wel zin in een glaasje, of niet?' Ik knik flauw. Kijk afwachtend naar zijn bewegingen. Fles pakken. Gaan zitten. Het rode folie van de kurk scheuren, zorgvuldig draaien aan het ijzerdraad. 'Rotkäppchen Sekt' lees ik op het etiket. Het gouden kapje en ijzerdraad eraf halen en onderwijl de bolle kurk tegenhouden. Het afval op het dienblad leggen, de glazen pakken. Mij een glas aanreiken.

'DDR-champagne. Toen de muur net gevallen was, werd deze drank afgedaan als goedkope, zoete troep. Westerse brut was het enige waarmee je aan kon komen op feestjes. Dit was bocht. Het leek alsof wij ossi's ons met terugwerkende kracht moesten schamen voor wat we hiermee ooit hebben gevierd.'

Hij drukt de kurk omhoog. Kreunt erbij alsof het om een heuse lichaamsinspanning gaat. De kurk springt omhoog tegen het plafond en komt ergens achter ons op de vloer terecht. Dan schenkt hij eerst mijn glas vol en dan het zijne. 'Wij dronken dit vroeger gemiddeld twee keer per jaar. Met oud en nieuw en wanneer mijn vader een onderscheiding had gekregen op zijn werk. Echte feestelijke gelegenheden, zeg maar. Proost.'

Ik hef mijn glas en klink tegen het zijne. We drinken gelijktijdig. Zoet, prikkelend. 'Mmm. Lekker wel.'

'Ja, je kunt nu moeilijk iets anders zeggen.' Hij kijkt me ironisch aan. De spanning van deze hele onderneming lijkt ineens uit de lucht.

'Waarom wilde je me dit uitzicht laten zien?'

'Hmm.' Hij slikt een grote slok weg. 'Dit is mijn jeugd, Lizzy. Ik zat daar aan de eettafel te spelen met mijn autootjes, terwijl hij naar buiten keek. Urenlang.'

'Wat zag hij?'

'Gewoon dat wat jij nu ook ziet. Een flat met overburen. Ramen waarachter soms licht brandde en soms niet. Er hingen toen nog overal witte vitrages. Hier en daar stond een plant op de vensterbank, en soms ving hij een glimp op van een bewoner.'

'Konden ze hem niet zien kijken?'

'Dat heb ik me nooit afgevraagd. Mijn vader had zich aangemeld als vrijwilliger bij de Stasi. En dit is wat hij deed. Nauwkeurig opschrijven bij wie het licht aanging en hoe laat. Wanneer er ramen werden opengezet en weer dichtgedaan. Of er meer schaduwen dan gewoonlijk achter de vitrages te zien waren. Tekenen van eventuele samenzweringen.'

'Wat vreselijk. Hoe was dat voor jou?'

Hij trekt zijn wenkbrauwen op, neemt nog een slok en staart naar buiten. Dan begint hij weer te praten. 'Jij zei toch dat je juist wél gelooft in toeval?'

'Ja...'

'Dat raakte me. Dit beeld van mijn jeugd werd bepaald door het toeval dat mijn ouders aan deze kant van de stad woonde toen de muur werd gebouwd. Moet ik me daarom slechter voelen?'

'Lijkt me niet.'

'En toch is mijn werkelijkheid heel lang bepaald geweest door dit uitzicht. Als kind dacht ik dat het leven zich aan de overkant van de straat afspeelde, in het huizenblok hierachter of ergens anders, maar niet hier. Het heeft me tot een toeschouwer gemaakt, geen speler.'

'Dat is nu toch niet meer zo?'

'Nee...'

Zijn ontkenning blijft in de lucht hangen. Ik heb het gevoel dat ik iets moet zeggen om de zwaarmoedige voorstelling van zijn kindertijd te compenseren. 'De dingen die je meemaakt vormen uiteindelijk je karakter. Misschien heeft dit alles je juist tot de sterke en integere persoon gemaakt die je nu bent.'

Een trieste glimlach glijdt over zijn gezicht. Weer zet hij het glas aan zijn mond en drinkt het in één teug leeg.

'Mijn zelfbeeld groeide pas toen ik Monika leerde kennen. Ineens deed ik mee.' Terwijl hij praat pakt hij de fles en schenkt onze glazen bij. 'Door haar werd ik compleet. Zij nam de gêne weg, maakte me een beter iemand.' Zijn blik dwaalt naar het lege raam.

'Maar Monika...' begin ik aarzelend. 'Zij is toch ook opgegroeid in de DDR?'

'In Leipzig, ja.' Hij draait zich weer naar me om. 'Maar zij had geen excuses om niet voluit te leven. Ze had een oom die motor reed en haar meenam op avontuur. Ze had een trotse vader. Een moeder die haar zacht streelde over haar blonde hoofdje en haar het talent gaf om te schilderen. Zelfs Monika's oma leefde nog toen ik haar leerde kennen. Een dappere, montere vrouw die…' Hij breekt zijn zin onverwacht af en laat een stilte vallen.

'Hoe oud was je toen jouw moeder stierf?'

'Acht. Mijn oma was een jaar eerder gestorven.'

'Heftig voor een kind, twee dierbare familieleden verliezen, zo kort achter elkaar.'

'De toevallige loop der omstandigheden.'

'Tja. Ik zou zeggen: botte pech.'

'Precies. Maar doordat mensen aan al die toevallige gebeurtenissen betekenis geven – "Het had zo moeten zijn." "Het zal wel zijn redenen hebben gehad." "Hij heeft er zelf om gevraagd…" – worden de slachtoffers ook nog eens dader. Alsof je je eigen verleden, je eigen miserabele familiegeschiedenis, zelf geënsceneerd hebt.'

'Nee, aan je verleden kun je niets meer veranderen, maar…' Ik probeer niet te bot, te Hollands, te ach-weet-je-de-zon-komt-elke-dag-weer-op, te oppervlakkig te klinken. '… het is toch ook niet zo dat elke toevalligheid die je overkomt bepalend is voor je toekomst.'

'O nee?'

'Nee, er bestaat ook zoiets als keuzevrijheid…'

'Niet onder elk regime.'

'Nee, oké. Maar zelfs binnen de beperkingen die een staat je oplegt, is er toch nog veel te kiezen. Op persoonlijk vlak.'

'Dat lijkt maar zo.'

'Maar Markus, kom op!' Ik verhef mijn stem. Nog even en ik verlies elk gevoel voor nuance. Ken jezelf in discussies. 'Neem nou deze situatie. Monika's koffer werd per ongeluk bij mij bezorgd. Toeval. Maar ik besloot dit toeval aan te grijpen. Ik koos ervoor om hem persoonlijk terug te gaan brengen. En daarom zitten we hier nu. Om de keuze die ik maakte en niet om het toeval van de verkeerd bezorgde koffer.'

'Misschien. Maar het feit dat we juist hier zitten, is weer bepaald door mijn afkomst. En daar heb ik niets in te kiezen gehad. Toeval dus.'

'Ja, zo kun je elke menselijke keuze wel reduceren tot een reactie die voortkomt uit de omstandigheden. Dan bestaan ook meningen niet meer. Of persoonlijke gevoelens.' Het lijkt alsof bij deze laatste woorden alle energie uit me wegstroomt. Alsof niets er nog toe doet. Ik zucht diep. Dan hoor ik naast me lachen. Geen idee wat er zo grappig is.

'Sorry, ik lach je niet uit, hoor.' Hij probeert zich te herstellen. Een poging die maar gedeeltelijk lukt. Ik haal mijn schouders op en neem nog een slok. Ik vat wel meer niet hier. Zijn lach sterft langzaam weg. Hij zet zijn glas op het tafeltje en pakt mijn hand. 'Ik vind je zo lief.'

'Ja ja.'

'Lizzy, natuurlijk bestaan persoonlijke gevoelens wel.' Hij trekt mijn hand naar zich toe en legt hem op zijn borst. 'Voel dan.'

Onder mijn vingers klopt zijn hart. Krachtig en snel.

'Dit is hoe gelukkig je me hebt gemaakt. Door wie je bent. Door je – jawel – keuze om hier te komen. Door je prachtige ogen. Je zachte mond. Je goddelijke lichaam.' Hij kijkt me strak aan. Ik zou willen ontsnappen aan zijn blik, maar ik kan niet anders dan terugstaren. Voelen hoe het schaamrood over mijn gezicht kruipt. Luisteren naar het oorverdovende gebonk van mijn hart. Dan verlost hij me door plotseling op te staan met de woorden: 'Mag ik je mijn jongenskamer laten zien?'

Jürgen had haar verteld hoe het werkelijk was geweest in Sachsenhausen. De onvoorspelbaarheid van de kampleiding was het ergste. Steeds werden de strenge regels aangepast en werden er nieuwe bedacht. Na overtreding van die regels, volgde meteen een strafmaatregel. Uren rechtop staan in de isoleerruimte, zonder de wanden te mogen raken. Bij een zweem van een glimlach kon je zonder waarschuwing een kogel door je hoofd krijgen. Praten met joden betekende vijfentwintig stokslagen voor de Duitsers, en de dood voor de joden. Als er tijdens het werkcommando geschoten werd, moest iedereen meteen op zijn buik gaan liggen en zijn hoofd op de grond drukken. Als je je hoofd hief, werd er onherroepelijk geschoten. Maar dat was beter dan door uitputting omvallen en ingegraven worden tot je nek, om zo langzaam te sterven.

Eens in de twee weken mochten de gevangenen een brief schrijven. En ja, natuurlijk werd die eerst gelezen. Een paar keer was er een brief aan Sylvi niet door de censuur gekomen. Dit verklaarde waarom ze soms wekenlang niets had gehoord. Ook had hij een keer een brief van haar gemist. Niet omdat die door de censuurcommissie was ingenomen, maar omdat Jürgen niet snel genoeg had gereageerd toen zijn nummer geroepen werd. Hij had een oorontsteking gehad toen, die maakte dat zijn gehoor verminderd was. Haar brief was voor zijn ogen verscheurd.

Na al deze verhalen had Jürgen gezwegen. Teder had Sylvi zijn hand gepakt en gefluisterd dat het goed was. Ze hadden het gehaald. Hij had zijn hoofd geschud. Ze maakten ons tot een nummer. Niet eens zelfmoord plegen werd ons toegestaan.'

Met de spullen die Sylvi had verzameld, werkten ze de hele middag en avond geconcentreerd aan nieuwe identiteitskaarten. Gelukkig was de vakbekwaamheid van Jürgen zo groot dat ze steeds beter begonnen te lijken op de echte kaarten. Sylvi knipte ondertussen haar haar af en verfde het zwart. Er moesten nieuwe namen gekozen worden. Sylvi werd Sabine en Jürgen werd Thomas. Toen hij haar vroeg wat haar meisjesnaam moest worden, zei ze: 'Engel. Ik ben Sabine Engel.'

'Vind je het goed als ik ons als echtpaar inschrijf?' Hij keek er bijna verlegen bij.

'Graag,' antwoordde ze bescheiden.

'Ik stel voor om de naam Hoffmann te kiezen.'

Een combinatie van haar meisjesnaam, Höffner, en zijn achternaam, Schumann.

'Dat lijkt me een heel goede naam.'

'Dan zijn we dus vanaf nu getrouwd.'

Die nacht lagen ze samen op bed, hand in hand. Het voelde intiemer dan de eerste nachten die ze met Klaus had doorgebracht. Woorden werden er niet veel gesproken. Met hun eigen gedachten lagen ze zij aan zij. In het volle bewustzijn van de stap die hun beider levens onherroepelijk had veranderd. Wat er zou komen wisten ze geen van beiden.

'Wat weet jij nog van vroeger?' vroeg hij vanuit die stilte aan haar.

'Dat het leven zorgeloos was. Dat er geen oordeel was. Dat jij me altijd aan het lachen maakte.' Ze dacht even na. Toen ging ze verder: 'Die keer dat we boven in de boom waren geklommen. Je vroeg of ik niet bang was. Ik realiseerde me op dat moment pas dat we heel hoog zaten. En tegelijkertijd dat ik niet bang was.' Ze hoorde hem snuiven in het donker. Ook zij moest zachtjes lachen. 'En wat herinner jij je nog?'

'Alles.'

'Alles?'

'Ja.' Even zweeg hij. Toen zei hij: 'Dat ik verliefd op je was.'

Zijn hand drukte de hare steviger. Ze probeerde het gevoel in haar buik te negeren. Ze verlangde naar hem. Maar in haar hoofd woedde nog te veel onrust. De liefde moest worden uitgesteld tot een beter moment. Tot de verwarring niet meer de overhand had en de pijn langzaam naar de achtergrond was verdwenen. Tot ze veilig waren.

Zijn ademhaling werd steeds rustiger, en ook Sylvi voelde haar oogleden zwaar worden. Haar gedachten waaierden uit naar alle kanten. Herinneringen aan haar jeugd, dan weer het beeld van het lijk aan haar voeten. De voortsuizende trein, de blauwe lucht in zijn ogen, het gezicht van de jonge vrouw met het korte zwarte haar in de spiegel. Zij was het zelf. Sylvi Höffner. Nee, Sabine Hoffmann-Engel. Met hun nieuwe namen hadden ze nieuwe levens gecreëerd, maar het had tevens de weg naar hun oude bestaan geblokkeerd. Ze moest haar vroegere gezicht vergeten. Voorgoed.

De volgende ochtend vertrokken ze heel vroeg uit het pension. Nog voor het ontbijt geserveerd werd en de slaperige nachtportier iets zou kunnen opmerken. Het verschuldigde bedrag voor de overnachting hadden ze achtergelaten op het nachtkastje.

Ze liepen naar de andere kant van de stad. Daar zochten ze

een koffiehuis waar ze konden ontbijten. Zodra de winkels open waren, zouden ze nieuwe pasfoto's laten maken voor hun persoonsbewijzen. Met die bewijzen zouden ze op zoek gaan naar een pension voor langere tijd. Totdat ze een eigen huurwoning hadden gevonden.

Sylvi keek over de kleine tafel naar Jürgen, die aandachtig de krant doorbladerde.

'En?' vroeg ze, terwijl ze vol spanning keek naar zijn gezicht.

'Nee, niks.' Hij sloeg de laatste pagina van de krant om.

'Gelukkig,' zei ze zacht. Hij knipoogde naar haar. Weinig woorden. Dat hadden ze afgesproken. Hun gesprekken konden overal en altijd worden afgeluisterd.

'Ben zo terug.' Hij stond op en liep naar het toilet. Ze keek hem na in zijn te ruime pak. Klaus was ook niet dik geweest, maar Jürgen had nog wel wat kilo's in te halen voor de broek strak om zijn billen zou zitten. Ze nam zich voor om een beter passend pak voor hem te kopen. Maar voorlopig voldeed het. Bovendien was een aantal spullen dringender nodig. Zoals een pet die zijn geschoren haardracht wat kon verdoezelen. Een paar schoenen dat hem niet drie maten te groot was. Twee trouwringen, met daarin hun nieuwe namen gegraveerd. Sylvi keek naar haar handen. Op de plek waar haar trouwring had gezeten zat een witte streep. Een stukje huid dat geen zonlicht had mogen ontvangen. Onder haar nagels zaten rouwrandjes van de zwarte haarverf. Ondanks het vele geschrob was het niet gelukt om de sporen te wissen. Ook daar moest ze straks nog aan werken.

De ober kwam naar haar toe en vroeg of ze nog iets wenste te eten of te drinken. 'Nog twee koffie graag,' zei ze vriendelijk, terwijl ze haar handen verborg in haar schoot.

Jürgen verscheen weer in de deur van het toilet. Breed lachend kwam hij op haar afgelopen. Achter de toog werd de radio harder gezet. Het nieuws van negen uur begon. Sylvi schrok. Ook Jürgens gezicht verstrakte onmiddellijk. Terwijl hij naast haar kwam zitten, luisterden ze naar de zakelijke stem op de radio. Het begon met een aankondiging die hen allebei verraste: Hitler had een niet-aanvalsverdrag afgesloten met Rusland. Daarna volgde een aantal berichten die hiermee van doen hadden. Na nog wat lokale nieuwsfeitjes vertelde de stem hun dat het wederom een hete nazomerse dag zou worden. Niks over een ontsnapping in Sachsenhausen. Geen namen of beschrijvingen van de ontsnapte gevangene en de vrouw die hem had helpen vluchten. Misschien was het toch te veel een blamage voor de kampleiding en wilde men helemaal niet met dit nieuws naar buiten komen. De SS mocht natuurlijk nooit gezichtsverlies lijden. Jürgen pakte over de tafel heen Sylvi's hand. De opluchting op zijn gezicht was niet te missen.

'Nou, beste mensen, dat is een grote zorg minder.' Betrapt keek Sylvi op naar de ober. 'Met Rusland als bondgenoot zal er voorlopig geen oorlog komen. Alstublieft.' Hij zette twee koppen koffie voor hen op tafel. 'Deze zijn van het huis.'

'Is de tijd hier stil blijven staan?'

'Zoiets,' zegt Markus lachend. Verbaasd kijk ik rond. Een stalen bed, opgemaakt met een blauwgrijs donsdek. Daarnaast een vierkant nachtkastje met stalen pootjes. Boven het bed een plank met autootjes, Trabanten, een busje en een brandweerauto. Daarnaast een stapel spelletjesdozen. Aan de wand een grote DDR-vlag. Achter in de kamer, naast het raam, een boekenkastje. *Unsere Nationale Volksarmee*, lees ik op een van de omslagen. Tegen de zijwand een kinderbureau met daarop een miniatuurtrein en een fotolijst met een plaatje van Lenin. Daarboven een groene poster van Pink Floyd en een lp-hoes van de Rolling Stones.

'Mijn vader heeft het altijd intact gehouden. Hij heeft zelfs spullen teruggezet die ik allang had opgeborgen. Het was zijn manier om te zeggen dat ik altijd terug kon komen. Toen hij doodging, heb ik het maar zo gelaten.'

'Raar idee, dat je zo terug kunt stappen in je eigen kindertijd.'

'Ach, ik noem dit altijd mijn 3D-fotoalbum. Maar dan zonder de bijbehorende gezichten.'

'Lijk je op je vader?'

'Ze zeiden altijd dat ik meer van mijn moeder weg heb. Brede mond. Groene ogen en donkere wenkbrauwen.' Hij fronst zijn zware wenkbrauwen.

'Heb je foto's?'

'Nee.'

'Liggen die thuis?'

'Nee, die heb ik niet.'

Ik moet lachen. 'Hoezo niet? Iedereen heeft toch foto's.'

'Ik niet. Ze hebben wel bestaan. Foto's van de bruiloft van mijn ouders. Ik als baby. Met z'n drieën naar een defilé. Mijn moeder languit liggend tijdens een picknick in het bos. Maar die zijn weg.'

'Kwijtgeraakt?'

'Dat denk ik niet. Nadat mijn moeder gestorven was, had ik een foto van haar onder mijn kussen verstopt. Elke avond keek ik naar haar in het schemerdonker. Ik praatte met haar. Stelde haar vragen. En dan gaf zij antwoord. Tot slot drukte ik de foto tegen mijn wang en ging ik slapen. Maar op een avond was hij verdwenen.'

'Wat erg!'

'Toen wel, ja. Later begreep ik dat mijn vader het had gedaan om mij te helpen.'

'Daarmee help je een jongetje van acht toch niet!'

'Misschien niet. Maar zijn manier van verwerken bestond uit zo snel mogelijk vergeten. Hij wilde haar letterlijk wissen uit zijn geheugen. Alsof ze nooit had bestaan. Hij dacht dat dat voor mij ook het beste was.' In de stilte die valt kijkt hij de kamer rond alsof het ook voor hem de eerste keer is dat hij deze ruimte ziet. Dan schudt hij zijn hoofd. 'Daarna is er geen foto meer dit huis in gekomen. Ook niet van latere tijden.'

'Ongelooflijk...'

'Ach Lizzy, hoe vaak kijk jij nou nog naar foto's uit je jeugd?'

'Eeuhm...' Ik probeer te bedenken wanneer ik dat voor het laatst heb gedaan. Dat zal met Rafik zijn geweest. Toen we net verliefd waren, en net zoals Markus en ik nu, geïnteresseerd waren in elkaars verleden. 'Drie, vier jaar geleden.'

'Dat zegt toch heel veel. En de foto's die je samen met je ex-vriendjes hebt gemaakt, wanneer ga je die nog bekijken, denk je?'

Een gewetensvraag. Wat doe je met de foto's van je exen? Je stopt ze in een doos, voor later. Je wilt er voorlopig niet mee geconfronteerd worden en je wilt zeker niet dat je nieuwe partner ze onder ogen krijgt. Of nog erger, dat jij de verliefde foto's van jouw nieuwe liefde met zijn ex te zien krijgt. Ik haal mijn schouders op. 'Geen idee. Als ik oud ben misschien.'

'Je hoeft niet zo beteuterd te kijken. Het "nu" is het enige dat telt. Jij en ik, hier samen.'

Is dat zo? schiet het door mijn hoofd. Als het 'nu' het enige is dat telt, waarom sta ik dan in deze kamer uit het verleden? Waarom heb ik dan nog geen idee waarom ik hier 'nu' per se moest komen? Of zou dit een les zijn in overgave aan het moment? In vertrouwen?

Markus trekt me mee naar zijn kinderbed. 'Ga eens liggen.'

Ik heb weinig keus, hij duwt me zachtjes achterover.

'Doe je ogen maar dicht.'

Ik laat me zakken in het dons en sluit mijn ogen. 'Niet meer kijken, hoor.'

Nee, nee, ik kijk niet meer. Laat maar gaan. Ik voel zijn adem in mijn hals. Zachtjes begint hij me te zoenen. Zijn handen maken de knoopjes van mijn vestje los. Mijn singlet wordt omhooggetrokken. Hij streelt mijn borsten. Eerst over mijn bh, daarna onder het kant, over mijn naakte huid. Mijn tepels worden hard. Hij pakt ze tussen zijn vingertoppen en knijpt er zachtjes is. Ik kreun. 'Monika...' fluistert hij zachtjes in mijn oor. Ik schrik. Open mijn ogen. Maar meteen bedekt hij met zijn hand mijn ogen om me het zicht te ontnemen. 'Ssst. Wees niet bang, mijn lief.'

Mijn hart gaat als een razende tekeer. Heb ik het wel goed gehoord? Hij noemde me bij haar naam, toch? Dus toch. Dus toch! 'Ontspan je.'

Ik sluit mijn ogen, ruik de geur aan zijn handen. IJzer en iets zoetigs wat ik niet kan thuisbrengen. Met zijn tong glijdt hij over mijn hals naar mijn oor. Wat is dit? Of denkt hij juist dat hij aan mijn wensen tegemoetkomt, door mijn bespottelijke eerlijkheid? Moet ik het afbreken, of het laten gaan... Zijn warme ademhaling bij mijn oor maakt me week. Laat dan maar komen. Doe dan maar. Gaan we spelen? Ik speel mee. Ik wil hem. 'Monika...' Hijgend spreekt hij weer haar naam uit. Laat het gaan, Lizzy. Het is goed. '... jij bent zo mooi. Zo heet...'

Ik kreun zacht.

'Ik wil je, Monika. Maar alleen als jij het ook wilt...'

'Hmmm...' Zou ik echt antwoord moeten geven? Zijn vingers knijpen hard in mijn tepels. 'Au...'

'Sorry, ik wilde je geen pijn doen.'

'Nee, nee. Ga maar door.' Al likkend en zoenend gaat hij over mijn hals naar mijn borsten. Zuigend aan mijn tepels maakt hij mijn spijkerbroek open.

'Jij maakt me zo geil, liefste...' Zijn vingers hebben mijn ingang gevonden. Wild wrijven ze heen en weer. Mijn handen blijven passief naast me op bed liggen. Als verlamd. Niet in staat zich te verweren of juist mee te werken aan dit misdrijf. Gaan, laat gaan. Ik voel hoe mijn opwinding stijgt. Met zijn natte mond zakt hij steeds verder af naar beneden. Met een harde ruk trekt hij mijn broek naar beneden. Even lijken mijn spieren zich te verzetten als hij de broekspijpen over mijn voeten uittrekt en mijn benen wijd spreidt. Maar als ik zijn gezicht in mijn haartjes voel, zijn tong over mijn clitoris, wil ik geen weerstand meer bieden... Ik wil alleen nog maar meedrijven op dit stiekeme genot. Dit macabere spel. Verdorven en strikt verboden. Ik wil het. En het kan me geen ene moer schelen hoe ik genoemd word of wie ik ben. Alleen dit gevoel, nu en voor eeuwig. Zijn tong die mijn onderlijf als vanzelf doet meebewegen en me steeds harder doet kreunen. Dit, ja. Dit. Nu. Ik kom. Mijn oogleden schieten als vanzelf omhoog. Mijn handen grijpen naar zijn hoofd. 'Markus...'

Hij kijkt me van onderaf aan.

'Monika...' Dan, in een snelle beweging, maakt hij zijn broek open. Met zijn stijve geslacht dringt hij diep bij me naar binnen. Niets lijkt hem er nog van te weerhouden om haar naam hardop in mijn gezicht te zeggen. 'Monika. Monika. Ik hou van je. Mijn liefste.'

Het moment van mijn overgave is gepasseerd. Willoos lig ik mee te schudden op zijn ritme. Het oude kinderbed kraakt en piept, terwijl hij gepassioneerd. Vanuit mijn ooghoeken zie ik de autootjes op de plank. De posters aan de muur. Recht voor me de onmachtige jongen. Snuivend en steunend als een pasgeboren kalf. Ik zou mijn gezicht willen afwenden. Niet willen zien hoe kwetsbaar en klein... Maar het hoeft niet meer. Hij pompt zich met zijn laatste kracht in mij leeg. Dan laat hij zich op me vallen.

We hebben ons gefatsoeneerd. De kreukels in het bed gladgestreken. Grapjes gemaakt alsof het om een lolletje ging.

Alsof hij niet haar naam heeft geschreeuwd en ik me niet bedreigd heb gevoeld. Niks aan de hand. 'Heb je honger, meisje?' vroeg hij me als een overbezorgde vader. 'Als een leeuw!' antwoordde ik stoer.

Ruim een week was er verstreken. Een week vol spanning. Maar de zaken hadden zich ten goede gekeerd. Hun persoonsbewijzen waren niet van echt te onderscheiden en werden overal geaccepteerd. De berichtgeving in de kranten over hun ontsnapping had zich beperkt tot een korte annonce op pagina drie. Foto's waren er niet bij geplaatst. Wel hun namen en hun signalementen, maar die kwamen inmiddels niet meer overeen met de realiteit. Sylvi begon te wennen aan haar nieuwe uiterlijk en ook haar naam sprak ze zonder haperingen uit. Om haar vinger prijkte een gouden ring, met de naam van haar nieuwe man. Thomas Hoffmann. Hun trouwdatum hadden ze bepaald op 11 februari 1938, de dag waarop ze zijn eerste brief had ontvangen.

Een paar dagen na hun ontsnapping vonden ze een klein gemeubileerd appartement aan de rand van Leipzig. Hun leven kreeg langzaam de vorm die Sylvi had gewenst. Voorzichtig aftastend in het begin. Omdat er te veel pijnlijke herinneringen lagen voor haar, waarover ze steeds meer los durfde te laten aan Jürgen. En omdat ze vroeger als broer en zus waren geweest, wat hun lichamelijke aantrekkingskracht beladen maakte. Maar na de eerste onzekere vrijpartijen had de hartstocht het overgenomen. Hun terughoudendheid verdween en ze genoten elke seconde intenser van elkaar. Ze functioneerden als een twee-eenheid, alsof het altijd al zo had moeten zijn. De perfecte combinatie. Er leek geen praktisch probleem zo groot dat het niet door hen samen kon worden opgelost.

Sylvi was druk bezig met het schoonmaken van hun nieuwe appartement. Ze keek door de net gezeemde ramen naar de oude fabriek en de vervallen woonhuizen aan de overkant. Natuurlijk was dit niet de meest idyllische plek om te wonen, maar voor haar was dit het beste uitzicht dat ze zich had kunnen wensen. Terwijl ze de emmer met sop leeggoot in de gootsteen hoorde ze de voordeur opengaan. Dat moest Jürgen zijn. Of nee, Thomas. Ze probeerde consequent zijn nieuwe naam te gebruiken, zelfs in haar hoofd. Hij was op sollicitatiegesprek geweest bij een bouwbedrijf. Natuurlijk wilde hij liever als schilder aan de slag, het liefst als kunstschilder, maar dat was nu nog veel te riskant.

'Hoe was het?' vroeg Sylvi, terwijl ze haar handen afdroogde aan haar schort.

'Goed, op zich…' Jürgen hing zijn jas aan de kapstok en zette zijn pet af. Zijn haar begon al wat te groeien. 'Heb je de baan?'

Hij knikte somber.

'Waarom ben je dan niet blij?'

Hij legde zijn handen op haar schouders en kuste haar teder op haar mond. Zijn gezicht stond zorgelijk.

'Ik ben aangenomen, maar de vraag is voor hoe lang.'

'Hoezo?' Sylvi pakte zijn polsen beet. Alsof ze zich vast wilde houden voor het naderende onheil.

'De chef vertelde me dat iedere man in Leipzig binnen een paar dagen een oproep krijgt om zich te melden. Vannacht is Duitsland aangevallen door Polen.'

'Wat?!' Sylvi kon hem bijna niet geloven. Ze hadden zich

net de dag ervoor ingeschreven bij de gemeente op hun nieuwe woonadres. Zelf had ze daar nog over getwijfeld, maar Jürgen had haar weten te overtuigen dat het beter was. Als ze geregistreerd stonden zouden ze officieel als Thomas en Sabine Hoffmann bestaan. Maar nu...

'Ze schijnen een inventarisatie te willen maken van de legermacht.'

'Maar jij hebt toch helemaal geen militaire opleiding.' Sylvi wist dat dit een loos argument was, maar ze wilde de werkelijkheid uitstellen.

'Als er oorlogsdreiging is, kan iedereen worden opgeroepen.'

'O mijn god.' Sylvi voelde zich slap worden. Ze moest gaan zitten voordat ze door haar knieën zou zakken. Niet dit vreselijke vooruitzicht. Niet de kans dat ze hem zou verliezen. Niet alleen achterblijven in een stad die niet van haar was, maar van hen beiden. Alles, alles zou stukgaan. De hoop waarop ze geleefd had. Het vertrouwen dat niets of niemand hen kon krenken. De liefde.

'Hé, het is nog niet zover. En misschien komt het er ook nooit van.' Hij had haar op een keukenstoel gezet en zat geknield voor haar. Sylvi kon het trillen van haar benen niet meer stoppen. De misselijkheid maakte dat ze bijna moest overgeven. Waarom dit? De oorlog leek toch afgezworen? Die verdomde Polen ook.

'Gaat het?'

'Ja, ja...'

Jürgen stond op en liep naar het aanrecht. Ze hoorde hoe hij een glas uit de kast pakte en de kraan opendraaide. Ze moest het hoofd koel houden. Niet het fundament verliezen dat haar zo sterk had gemaakt de afgelopen tijd.

'Hier, mijn lieve Pinky.' Hij reikte haar het glas aan. 'Drink maar wat. Je ziet zo bleek.'

Ze zag zijn bezorgde gezicht. Noch voor hem, noch voor

zichzelf mocht ze de moed verliezen. Sterk zijn.

'Het gaat wel weer.'

'Weet je het zeker?'

Sylvi knikte. 'Gefeliciteerd met je nieuwe baan.' Ze forceerde een glimlach. De misselijkheid hield aan.

Markus stelt voor om aan tafel te gaan zitten. In de kamer klinkt jazz. Zo modern is het hier dus toch wel. Ik sta op uit de groene fauteuil en voel hoe mijn broek aan mijn billen plakt. Ik hoop niet dat het vocht een donkere vlek maakt in mijn spijkerbroek. Alsof dat iets zou zijn waarover ik me in dit stadium nog zou moeten schamen.

Hij heeft mijn glas met sekt bijgevuld en zet het voor me op tafel. 'Ik ga wat lekkers voor ons maken.'

'Ik kan wel helpen...' Het idee om alleen achter te blijven in deze ruimte spreekt me nog minder aan dan achter hem aan te lopen en uien te snijden.

'Geen sprake van. Ik ga een heerlijk gerecht maken van Oost-Duitse origine.'

'Maar...'

'Ik heb het al gedeeltelijk voorbereid, dus het is zo klaar.' God, ik wou dat ik thuis was. Het is de eerste keer dat deze gedachte door mijn hoofd schiet. Beter eenzaam en verdrietig in mijn eigen huis dan de beklemming van deze plek. Liever nog mijn eigen frustraties en raadsels dan de puzzelstukjes te moeten vormen voor een ander.

'Lizzy, ik ga je heus wel meer antwoorden geven.' Ik schrik. Kan hij mijn gedachten lezen? 'Het enige wat ik nu vraag is een beetje geduld.' Hij gaat door zijn knieën en legt zijn handen op mijn bovenbenen. 'Dit allemaal, wij... Vertrouw me, het komt goed.'

Ik bijt op mijn onderlip en knik. Zachtjes strijkt hij een pluk haar weg uit mijn gezicht. 'Wacht maar af. Alles wordt uiteindelijk mooier.' Hij gaat weer rechtop staan en loopt naar de lelijke fineerkast die tegen de muur staat. Hij opent een klep, en tussen de glazen en kopjes valt mijn oog op een oud fototoestel. Zou hij dat hele verhaal over die foto's verzonnen hebben?

'Maar jullie hadden wel een camera?'

Markus kijkt mij over zijn schouder aan.

'Daar.' Ik wijs naar het toestel.

'O, dit ding.' Hij heeft het in zijn handen genomen. 'Dit is inmiddels een collector's item. Mijn vader heeft hem gekregen toen hij twintig jaar bij Pentacon werkte, de fabriek die dit soort toestellen maakte.' Hij reikt hem aan. 'Deze is nog puntgaaf. Tja, nooit gebruikt.'

'Ongelooflijk...' Ik draai het zwarte toestel om in mijn handen. Wat een verspilling. Niet alleen van deze camera, maar vooral van een leven dat nooit geleefd is.

'Hier zitten de allerlaatste hoofdstukken in van *Het vergeten gezicht*.' Markus heeft een witte envelop in zijn handen. 'Zo hoef je je niet te vervelen terwijl ik in de keuken sta.' Hij legt de envelop op tafel. 'Tot zo.' Dan kust hij me op mijn haar en verdwijnt naar de keuken. Ik staar naar de dichtgeplakte envelop. Zou er dan toch een verband bestaan tussen de komst van Lizzy en de verdwijning van Monika? Maar wát dan? Wat heb ik in vredesnaam met dit alles te maken? Secondelang blijf ik zo zitten. Starend naar de dichte envelop met het einde van het verhaal. Ik trek de envelop naar me toe. Scheur hem open en haal voorzichtig de bedrukte bladzijden eruit.

De volgende ochtend voelde ze zich nog steeds niet lekker. Jürgen vroeg haar of het niet beter was als hij thuis zou blijven. Sylvi schudde haar hoofd. Ze drukte hem op het hart dat het echt wel meeviel. En met een paar uurtjes slaap zou het vast over gaan. Met een zorgelijke blik kuste hij haar en liep enigszins aarzelend naar de deur.

'Beloof je me dat je straks even langs de dokter gaat?' vroeg hij voordat hij naar buiten liep.

'Dat beloof ik. Maar het zal niet nodig zijn, hoor.' Ze deed haar best om het overtuigend te laten klinken. Toen verdween hij door de deur.

De droom waarin ze terechtkwam begon met een stem in de verte. 'Help me. Help me,' riep een vrouw. Sylvi stond in een groot leeg veld en kon niet ontdekken waar ze naartoe moest rennen om de vrouw te helpen. Naar het weiland voor haar, met de brede sloot. Of naar het bos dat achter haar lag. 'Help me dan toch. Help me!' De noodkreten van de vrouw werden steeds wanhopiger. Sylvi moest iets doen. Ze twijfelde tussen het bos en de sloot. De sloot natuurlijk, dacht ze in een impuls. Ze begon te rennen. Haar benen leken een eigen wil te hebben. Het waren kleine machines die haar de snelheid gaven

van een automobiel. Haar bovenlijf kon niet anders dan mee-
hobbelen op de ongelijke grond waarop haar onderlijf zich als
een razende voortbewoog. De horizon schudde zo hevig dat ze
haar ogen niet meer scherp kon stellen. De lucht was verworden tot een rimpelig meer. 'Ik kan niet meer!' klonk het. 'De
zuurstof is op.' Nu wist Sylvi zeker dat de sloot de goede richting was. De vrouw was aan het verdrinken. 'Ik kom eraan!'
schreeuwde ze terug. Ze spoorde zichzelf aan om nog harder
te lopen. Even dacht ze dat ze zou vallen. Maar met haar armen
als vleugels lukte het haar haar evenwicht te bewaren. Het ge-
jammer klonk nu vlakbij. Ze vertraagde haar pas en probeerde
haar scherpe zicht terug te krijgen. Hijgend kwam ze uit bij de
brede sloot. Waar? Waar was de vrouw?

Hier was geen mens of dier te bekennen. Ze wilde naar
links gaan. Misschien zat de vrouw verscholen in het hoge
gras. Maar toen ze nog een laatste blik wierp op het water, zag
ze een paar luchtbellen. Daar was ze! Zonder aarzeling sprong
Sylvi in de sloot. Het water was zo troebel dat ze niets kon ontdekken. Met haar benen en handen waadde ze door de vieze
drab. Toen voelde ze iets. Het was een hoofd. Met beide handen pakte ze het beet en trok het omhoog. Was het te laat? Ze
hield het roerloze gezicht van de vrouw in haar handen. Plotseling opende de vrouw haar ogen en haar mond. Diep inha-
leerde ze de vrijgekomen zuurstof. De levenslucht was in haar
teruggekeerd. Sylvi trok met veel moeite het lichaam uit het
water en legde haar op de wal. Terwijl ze voorovergebogen in
het gras uithijgde van deze reddingsactie, stootte de vrouw
haar aan. 'Waar is Jürgen?' Geschrokken keek Sylvi om.
'Jürgen is weg, dat weet je toch?' De vrouw barstte onmiddellijk in tranen uit. Sylvi wist niet wat ze met haar aan moest.
Was het misschien zijn vorige vriendin? Een gevoel van jaloe-
zie kwam in haar naar boven. 'Hou op met grienen!' schreeuwde ze in het gezicht van de vrouw. 'Hij komt nooit meer terug

naar jou.' Het snikken stokte even. 'Hij is nu van mij,' zei Sylvi al iets kalmer, maar met evenveel overtuiging. De vrouw schudde haar hoofd. Wankel kwam ze overeind. 'Heb je het dan niet door?' vroeg ze wanhopig. 'Wat?' Sylvi had geen idee waar deze waanzinnige het over had. 'Kijk dan! Kijk!' Met haar armen gespreid stond ze voor haar. 'Ik ben het.' En toen zag Sylvi eindelijk wat ze bedoelde. De vrouw voor haar, in die smerige natte kleren, met modder op haar gezicht en slierten donkerblond haar, was zij zelf. 'Hoe kan dit?' vroeg ze geschrokken. Maar de vrouw had zich al omgedraaid en rende strompelend weg. Sylvi bleef schreeuwend achter. 'Kom terug! Kom hier!' Het leverde niks op. De vrouw was nog maar een klein bewegend stipje aan de bosrand. Sylvi voelde zich misselijk worden. Toen zag ze de immense golf die voor haar opdoemde. Een muur van water kwam recht op haar af. Rennen had geen zin meer. Ze strekte haar armen, alsof ze het water zou kunnen tegenhouden. De golf overspoelde haar...

Met een schok werd Sylvi wakker. Alles was nat. Haar armen, benen, haar rug, haar gezicht. Ze draaide zich om en voelde iets kleverigs in haar haren. Ze richtte zich op. Ze had gespuugd. Haar witte kussensloop zat onder de geelbruine drab. Opnieuw kwam een golf misselijkheid naar boven. Ze sloeg de dekens open en rende naar de wc. Net op tijd bereikte ze de pot.

'Frau Hoffmann?' De dokter keek de wachtkamer rond.

'Dat ben ik.' Sylvi stond op en liep naar de man toe. Ze was nog steeds wat wiebelig, maar de misselijkheid was verdwenen. Vanwege de belofte aan Jürgen was ze toch maar gegaan. En stel je voor dat het om iets besmettelijks ging, dan kon ze tenminste maatregelen nemen. Ze konden het zich niet veroorloven om allebei ziek in bed te belanden. Of nog erger: opgenomen te moeten worden in een ziekenhuis met buiktyfus of tuberculose. Dan zou het balletje alsnog gaan rollen, en was het slechts een kwestie van tijd voor ze ontmaskerd werden.

Sylvi nam plaats in de stoel tegenover de dokter.

'Beste Frau Hoffmann, u bent nieuw in deze praktijk, is het niet?'

'Ja, mijn man en ik zijn net verhuisd vanuit Berlijn.'

'Een goede keuze om in Leipzig te komen wonen. Vertelt u eens, wat scheelt eraan?'

Sylvi beschreef hem haar klachten. De man keek haar over zijn bril aan en noteerde wat.

'Sinds wanneer hebt u daar last van?'

Och, eigenlijk pas sinds gisteren, wilde ze tegen hem zeggen. Maar als ze eerlijk was, had ze al een week of drie last van haar maag en darmen.

'Goed, dan gaan we u maar eens onderzoeken. Als u zich zou willen uitkleden achter het gordijn. Ondergoed mag aan blijven.'

Sylvi stond met lood in haar schoenen op. Had ze zichzelf te veel verwaarloosd? Ze was wel wat kilo's kwijtgeraakt, maar dat weet ze geheel aan de spanning van de laatste weken. Maar wat kon het dan zijn? Ze deed een schietgebedje dat slecht nieuws haar bespaard zou blijven. Meteen daarop voelde ze zich schuldig. Bidden deed ze bijna nooit en in de kerk was ze al in geen maanden geweest. Door nu God aan te spreken met een smeekbede, zou ze misschien juist het onheil over zich afroepen.

Schuchter kwam ze achter het gordijn vandaan.

'Komt u maar verder, hoor, Frau Hoffmann. Ik bijt u niet.'

De dokter onderzocht haar kritisch. Onderwijl mompelde hij vage termen die Sylvi niet kon thuisbrengen. Ze rilde en had kippenvel over haar hele lijf. Ze was bang dat haar naakte huid zou verraden dat ze niet Sabine Hoffmann was, maar Sylvi Heinrich. De vrouw die deserteerde. 'Gezien. Kleed u zich maar weer aan!'

'Dokter, wat heb ik?' Terwijl ze het laatste knoopje van haar blouse dichtknoopte, ging ze tegenover hem zitten.

'Mmm,' mompelde de man ernstig terwijl hij naar het blad keek waarop hij zijn bevindingen had geschreven.

'Tja, het is niet zo eenduidig, mevrouw Hoffmann. Mag ik u vragen wanneer de misselijkheid het grootst is?'

'In de ochtend.'

'En wanneer hebt u voor het laatst uw periode gehad?' Sylvi schrok. Dat was toen ze nog met Klaus was. Drie weken geleden? Of nee, toen had ze wel buikpijn gekregen, maar de menstruatie was uitgebleven.

'Eh... Ik denk zo'n zes, zeven weken geleden.'

'Dan denk ik toch dat we eruit zijn, mevrouw Hoffmann.' Hij zette zijn bril af en keek haar ironisch aan. 'Gefeliciteerd, u krijgt een kind.'

'Dat kan niet!' riep ze geschokt. Ze dacht aan al die jaren dat ze had geprobeerd om zwanger te raken. De teleurstelling die ze aanvankelijk had gevoeld, had steeds vaker plaatsgemaakt voor opluchting. Tot ze ervan overtuigd was geraakt dat Klaus – of zijzelf – onvruchtbaar was.

'Weet u het heel zeker?'

'Als u nog meer duidelijkheid wilt, zijn daar methoden voor, maar daar zijn wel extra kosten aan verbonden.'

'Nee,' zei Sylvi zacht. 'Laat u maar.'

De arts had inmiddels begrepen dat de boodschap niet echt goed gevallen was bij deze patiënt.

'U moet er waarschijnlijk even aan wennen. Maar over een maand, als de misselijkheid is verdwenen, bent u ongetwijfeld de gelukkigste vrouw op aarde. Een nieuwe Duitse staatsbur-ger ter wereld brengen, dat is iets om trots op te zijn, Frau Hoffmann.'

Sylvi knikte zwak. 'Bedankt.' Verdwaasd, alsof het nieuws nog niet echt tot haar was doorgedrongen, stond ze op en liep de spreekkamer uit. Zwanger? Dat kon toch niet? Een kind van Klaus. Wat afschuwelijk. Ze wilde weg. Weg van dit verschrikkelijke probleem. Naar huis. Ze wilde net naar buiten lopen toen ze haar naam hoorde.

'Frau Hoffmann, u vergeet wat.' Het was de doktersassistente, die vanachter de balie iets omhooghield. Sylvi liep naar haar toe. 'Ik heb een patiëntenkaart voor u aangemaakt,' zei de assistente vriendelijk. 'Wilt u even kijken of ik alles goed heb ingevuld?'

Sylvi liet haar ogen glijden over de handgeschreven letters op de kaart. 'Het klopt.'

De assistente pakte hem weer van haar aan en drukte er een stempel op. Op de achtergrond stond de radio aan. Sylvi herkende het bombastische stemgeluid van Adolf Hitler. Blijkbaar was hij met een toespraak bezig. 'Van nu af aan zullen wij bommen met bommen vergelden!' klonk het fel.

De roes waarin ze verkeerd had was op slag verdwenen. 'Waar heeft hij het over?' vroeg ze aan de assistente, die haar de patiëntenkaart overhandigde.

'Hebt u het dan nog niet gehoord?' vroeg de assistente verbaasd. 'De oorlog is uitgebroken!'

Ter nagedachtenis aan mijn vader

Zeven maanden later werd ik, Andreas Hoffmann, geboren. Acht jaar daarna kreeg ik een zusje, Susanna Hoffmann. Strikt genomen is zij mijn halfzus. Zoals ook feitelijk niet het bloed van mijn vader door mijn aderen stroomt. Toch is er nooit een andere vader in mijn leven geweest dan Jürgen Schumann, alias Thomas Hoffmann. In 1943 werd hij gedwongen mee te vechten aan het front. Een jaar na het einde van de oorlog stond hij ineens voor onze deur. Hij had de oorlog en het Russische strafkamp overleefd. Geestelijk hadden ze hem nooit kapot gekregen, maar lichamelijk was hij een oude man geworden. Hij stierf in 1965 op vijftigjarige leeftijd.

Ik dank mijn moeder, die me geholpen heeft bij het schrijven van dit boek. Ik dank haar voor haar eerlijkheid en haar openhartigheid, waardoor ik in staat was het complete verhaal te vertellen. Maar bovenal dank ik haar voor haar moed en liefde.

Mijn eerste herinneringen gaan terug naar de nachten waarin we vanwege het luchtalarm naar de kelder moesten vluchten. Het gevaar van die aanvallen en de doodsangst van de mensen in de schuilkelders werden me pas later duidelijk. Ik was niet bang destijds. In de armen van mijn moeder waande ik me volkomen veilig.

Andreas Hoffmann,
Leipzig, 1990

Andreas was de zoon van Sylvi en Klaus. En hij was de oom van Monika. Dus dan moet Susanna de moeder zijn van Monika? Maar waarom mocht ik dit niet eerder weten? Waarom heeft Markus niet meteen tegen me gezegd: 'Ja, aangrijpend verhaal, hè? En dat is allemaal familie van Monika. Ik zal je de laatste hoofdstukken geven, want die heeft ze eruit gescheurd.' En dan nog blijft de vraag: waaróm heeft ze dat gedaan?

Ik schik de losse pagina's en stop ze terug in de envelop. De ongebruikte camera en de witte envelop liggen voor me op tafel. Twee relikwieën. Wat zou er verder nog te vinden zijn in die kast? Vlug werp ik een blik over mijn schouder. Hoe lang is Markus in de keuken? Hoe langer ik wacht, hoe riskanter het wordt. Ik kan altijd nog doen alsof ik de camera wilde terugleggen. Nu. Ik sta op, pak de camera en loop om de tafel heen naar de kast. Ik trek aan de twee hendels de klep naar beneden. Er staan een paar kopjes en een gebloemde koffiepot. Daarachter zit een kleine la. Ik zet de pot een stukje opzij en schuif het laatje open. Er zitten oude brieven in gericht aan Karl Brückner. Geen handgeschreven enveloppen maar alleen getypte, van officiële instanties. En niet één met de naam Markus erop. Ik schuif de la dicht en doe de klep weer omhoog. De camera hou ik in mijn klamme hand. Ik ga op mijn hurken zitten en schuif een deurtje open. Nog meer serviesgoed. Glazen, bekers, borden. Niks bijzonders. Als ik met net te veel haast het deurtje terugschuif, klapt het met veel kabaal dicht. Angstvallig kijk ik op. Markus' lange postuur kan nu ieder moment om de hoek verschijnen. Ik tel de seconden. Probeer mijn oren te scherpen voor naderende voetstappen. Ik hoor iets anders. Gekletter van bestek. Het geluid is ver genoeg hiervandaan. Ik zet mijn zoektocht – naar wat? – voort. Snel schuif ik naar de andere kant van de kast. Handdoeken, theedoeken, oude cadeaupapiertjes. Op de onderste plank kookboeken, gebruiksaanwijzingen voor een mini-oven en een transistorradio die allang moeten zijn afgedankt, garantiebewijzen, een vergeeld huishoudboekje. Oude troep van wijlen Karl Brückner. Markus heeft echt totaal geen moeite gedaan om zich dit huis eigen te maken. Misschien om zichzelf eraan te blijven herinneren dat het bestaan zoveel leuker is nu. Zoveel kleurrijker.

Enigszins teleurgesteld ga ik rechtop staan. Ik trek de klep weer open – nu zonder hartkloppingen of bevende handen – en leg het toestel terug op zijn plek. Dan zie ik dat er onder het laatje iets wits uitsteekt. Een plastic mapje. Ik wil het er onderuit trekken, maar het zit te stevig vast. Ik open het laatje en probeer er met mijn hand achter te voelen. Hè, mijn vingers zijn net te dik. Maar ik moet doorgaan. Dit zou iets kunnen zijn. Misschien als ik het laatje kantel. Ja, het lukt, ik heb het mapje beet. Nu voorzichtig, zonder het te laten wegglippen, omhoog tillen. De rand van fineer snijdt pijnlijk in mijn huid. Bijna... het lukt me bijna. Mijn knokkels er nog doorheen en dan is het gelukt. Ja, het lukt...

'*Dinner's being served!*' De stem achter me laat me zo schrikken dat ik de schuin gehouden la loslaat en mijn vingers afgeknepen worden.

'Wat doe jij nou?' Markus zet de pan met een klap op tafel en komt naar me toe.

'Hoe heb je dat... Rustig, niet bewegen.'

'Ik... au.'

Markus bestudeert mijn vingers die klem zitten en trekt dan daadkrachtig de la naar achteren. De scherpe rand snijdt door mijn huid.

'Gaat het, meisje?' Druppels bloed vallen op het grijze vloerzeil, naast de scherven van de gebloemde koffiepot. Ik bedenk dat ik niks heb horen vallen.

'Sorry...'

'Nee joh, dat geeft niks. Dat is maar een oude pot. Gaat het? Kun je ze nog bewegen?'

Ik knik. Hij zet me op een stoel en aait me even liefdevol over mijn hoofd. Uit een la in de tafel pakt hij een linnen servet en wikkelt die voorzichtig om mijn hand. 'Wat was je nou aan het doen?'

Mijn hele actie lijkt nu te belachelijk voor woorden.

'Ik wilde het toestel terugleggen en toen zag ik iets...' Ik schud mijn hoofd. Moe van de kwetterende stemmen. Mijn op hol geslagen fantasie. De samenzweringstheorieën. 'Volgens mij is het een fotomapje of iets dergelijks.'

Markus kijkt me verbaasd aan. Dan kijkt hij naar de kast. Op de plek waar eerst de la zat, ligt nu het felbegeerde witte mapje.

'Hé, die waren we al een hele tijd kwijt.' Hij pakt het op en slaat het open. 'Dit zijn foto's van Andreas' begrafenis. Ik heb je toch verteld dat hij een motorongeluk heeft gehad?'

Mijn vingers kloppen pijnlijk, mijn hoofd bonkt met ze mee. Houdt dit verhaal dan nooit op? Markus bladert snel door de foto's. Schijnbaar emotieloos.

'Mag ik ze zien?'

'O, ja hoor. Hier.' Hij geeft ze me zonder aarzelen aan. 'Het zijn geen vrolijke foto's, maar dat spreekt voor zich.'

Op de eerste zie ik een stoet met zwartgeklede mensen die een lijkkist volgen. Op de tweede foto staan mensen rond een open graf. Hij is van veraf genomen, dus gezichten kan ik nauwelijks zien. Dan hetzelfde tafereel van dichtbij. In het midden staat een oude vrouw. Ze wordt ondersteund door een jonger iemand. Aan de andere kant staat een meisje van een jaar of twintig. Ze heeft een bos rozen in haar handen en kijkt naar de man naast zich. Maar die staat er maar voor de helft op.

'Is dat Monika?' vraag ik zacht. Markus knikt. Dan een foto van alleen Monika. Ze kijkt nog steeds opzij. Een fijn gezicht. Volle wimpers. Hoge jukbeenderen. Een lange blonde vlecht die over haar schouder hangt. 'Mooi meisje...'

'Ja. Toen was ze negentien. Of nee, twintig.'

De volgende afbeelding brengt haar nog dichterbij. Ze kijkt naar beneden. Naar het graf waarin haar oom ligt. Haar lange wimpers lijken haar wangen te strelen. Haar mond ziet er ontspannen uit. De lippen niet helemaal gesloten. Niets dat zou kunnen duiden op verdriet. Dan zie ik het spoor van de traan die over haar rechterwang naar beneden is gegleden en via haar neusvleugel een boog heeft gemaakt naar haar mondhoek. Gebiologeerd blijf ik staren naar dit beeld van ingehouden pijn. In de kamer is het stil geworden. 'Wat zielig...'

'Ja... Andreas was alles voor haar.'

Ik bekijk de volgende foto. Monika heeft haar ogen opgeslagen en kijkt recht in de lens. De frons op haar voorhoofd verraadt lichte ergernis. Of verbazing. In elk geval is er iets wat haar uit haar evenwicht brengt.

'Wie heeft deze foto's gemaakt?'

'Een vriend van de familie, volgens mij. Ik heb Monika pas een jaar later leren kennen.'

Op de laatste foto zie ik hoe de oude vrouw op haar knieën voor het graf zit. Haar armen gestrekt, haar gezicht pijnlijk verkrampt.

'Is dit Andreas' moeder?' Het besef komt met een schok. Ik kijk op naar Markus, die rustig knikt. 'Maar dan is dit Sylvi, uit het boek...'

'Ja, Monika's oma.'

Het bekijken van deze foto's krijgt ineens iets voyeuristisch. Ik sla het mapje dicht en schuif het naar Markus. 'Sorry, het gaat me allemaal niks aan.'

'Jawel, het gaat je wel aan. Maar voor ik je alles vertel, zou ik eerst met je willen eten. Ik heb me niet voor niks zo uitgesloofd.' Zijn glimlach is even ontwapenend als bedreigend. Vertrouw jij mij? Zijn woorden schieten weer door mijn hoofd.

Markus heeft een kippenboutje in zijn handen. Ik eet de kip met met mes en vork.

'Smaakt het?'

'Hmm ja, heerlijk,' zeg ik met volle mond. Hij kijkt me grijnzend aan. 'Is dit nou typisch Oost-Duits?' vraag ik.

'Ja, Goldbroiler, oftewel goudgebraden kip. Je kocht ze zo in de winkel, en met behulp van tv-kok Kurt Drummer maakte je er een echt feestmaal van.' Hij kluift een stuk vlees van het bot af.

'Wat zit er allemaal in?'

'Uien, veel uien. Paprika, karnemelk, appelsap, citroensap, bloem.'

'Moet ik onthouden.'

'Nee, hoor. Ik kan het toch voor je maken?' Zijn lippen glimmen van het vet. Ik prik een aardappel aan mijn vork en stop hem traag in mijn mond.

Duidelijkheid. Daar heeft ieder mens recht op. Ik leg mijn bestek rechts op mijn bord en zie het opgedroogde bloed aan mijn gewonde vingers. Waar zal ik beginnen?

'Markus, vertel nou eens. Waarom kreeg ik nu pas het einde van het boek te lezen?'

Hij veegt zijn mond en handen af aan zijn servet. 'Oké. Ik zal het je uitleggen.' Voor hij begint te praten, drinkt hij zijn glas leeg. Veegt dan nog een keer zijn mond af en laat een lange stilte vallen. Mijn ongeduld groeit. Dan haalt hij diep adem. 'Goed, Lizzy. Het boek van Andreas kwam uit na de val van de Muur. Ik denk dat hij het al een hele tijd daarvoor geschreven had, maar niet eerder naar een uitgever durfde te stappen met dit waargebeurde verhaal.'

'Waar was hij dan bang voor? Ik neem aan dat de ware identiteit van Sylvi haar geen schade meer kon berokkenen.'

'Nee, dat niet, maar in de DDR kon alles als verdacht worden aangemerkt. Zelfs een gebeurtenis van ver voor het IJzeren Gordijn. Het boek werd dus gepubliceerd, maar in tegenstelling tot Andreas' verwachting baarde het weinig opzien. De actuele gebeurtenissen rond de eenwording van Duitsland waren te spannend. Wat er in dit land gebeurde was wereldnieuws en voor de verandering ging dat eens niet over het beruchte oorlogsverleden. Toch werd het boek door een aantal mensen opgepikt. Een oude buurvrouw van ons was naar mijn vader toe gegaan en had geroepen dat het een grote schande was. De naam van mijn moeders familie werd bezoedeld in een nieuw verschenen boek.'

'Jouw moeders familie? Hoezo? Was jouw moeder...'

Markus onderbreekt me. 'Dat komt zo. Mijn vader is diezelfde middag nog naar de boekhandel gelopen. Nota bene in West-Berlijn, waar hij tot dan toe had geweigerd te komen. Eenmaal thuis met het boek ging hij in zijn stoel zitten. Twee keer achter elkaar heeft hij het boek gelezen. Toen belde hij me op, om halfeen 's nachts. Ik woonde net op mezelf, in een van de vele leegstaande panden die dit gedeelte van de stad toen rijk was. Onder het genot van liters bier filosofeerde ik met vrienden over onze nieuwe toekomst zonder Russische bemoeienis. Zonder lange wachtrijen, zonder kuis geklede vrouwen en vooral zonder onze zogenaamde kameraden. Mijn vaders stem aan de andere kant van de lijn maakte me in één klap nuchter. Ik wist dat er iets ernstigs aan de hand was en sprong op mijn brommer. Toen ik de trappen opliep, hoorde ik hem al raaskallen. 'Het is niet waar. Als mijn vrouw dit wist. Onrecht wordt ons aangedaan!' Ik vroeg hem wat er aan de hand was. Hij smeet het boek naar me toe en zei: 'Lees deze smerige troep maar!' Al op de eerste bladzijde zag ik die naam staan: Klaus Heinrich. De vader van mijn moeder. Mijn opa.'

'Klaus was jouw opa?!' Ik verslik me bijna in mijn wijn.

'Ja, Lizzy, ik stam af van de slechte tak. Die van de antiheld. De brute ss'er,' zegt Markus cynisch.

Als een razende probeer ik in mijn hoofd de reconstructie te maken. Maar dan is hij dus familie van Monika?

'Zal ik verder vertellen? Of wordt het je te veel?'

'Nee, ga door. Ga door. Jij kunt er toch niks aan doen dat...' Ik maak mijn zin niet af. Markus kijkt me ernstig aan, hij lijkt te aarzelen. Dan begint hij weer te praten.

'Ik las het boek, en hoewel het me minder persoonlijk aangreep dan mijn vader, werden er ineens een heleboel dingen duidelijk. Ik zal het proberen uit te leggen. Klaus was na het vertrek van Sylvi totaal gebroken. Niet alleen door de schande die het hem opleverde, maar vooral ook door oprecht gemis. Hij was uit liefde met Sylvi getrouwd. Ook al moet hij na een paar jaar geweten hebben dat hij haar niet gelukkig kon maken. Bovendien, het verhaal zoals Andreas het heeft opgeschreven, is heel erg gekleurd. Het moest nog eens extra rechtvaardigen waarom Sylvi bij Klaus wegging.' Markus schudt zijn hoofd en zucht dan diep. Alsof hij moed verzamelt. 'Klaus hield zielsveel van zijn vrouw. Zonder haar goedkeuring zou hij nooit de overstap hebben gemaakt naar de ss. Sylvi was juist degene die hem had aangespoord tot deze ambitie, om zo het ouderlijk huis van Klaus te kunnen ontvluchten. Toen hij eenmaal was aangesteld in het kamp was het werk dat hij moest verrichten zo afgrijselijk dat ieder mens daar onaangename karaktertrekken door zou krijgen. Maar denk je dat er een weg terug was?'

Markus kijkt me fel aan. Ik schud zwak mijn hoofd.

'Nee, voor hem was het ook een kwestie van overleven. Een strijd die hij in volledige eenzaamheid moest voeren, want de verschrikkingen delen met zijn vrouw zou alles alleen maar erger maken. Hij wilde haar de details besparen. Uit liefde.'

'Noem dat maar liefde. Je vrouw zo mishandelen!' Ik flap het eruit. Meteen bind ik in en wend mijn blik af, bang voor zijn reactie.

'Begrijp me niet verkeerd, Lizzy. Natuurlijk rechtvaardigt dat niet wat er allemaal gebeurd is. Klaus was een sadist geworden. Dat realiseerde hij zich ook. En als de kamparts hem niet in huis had genomen, had hij zich waarschijnlijk van het leven beroofd. Zo vertelde mijn oma, Beate, die als dienstmeisje bij de familie Leibbrandt werkte. Ze verzorgde hem en na verloop van tijd werden zij en Klaus verliefd op elkaar. In april 1944 werd mijn moeder geboren, Erika Juliette Heinrich.' De woordenstroom stokt even. Markus wil het glas weer aan zijn mond zetten, maar hij ziet dat er niks meer in zit. Dan praat hij door. 'Het leven van Klaus leek weer zin te hebben. Maar het einde van de oorlog naderde. De vijand kwam steeds dichterbij. Klaus verloor langzaam de hoop op een zorgeloze toekomst met zijn gezin. De dag dat hij zou moeten boeten voor de martelingen, de moorden die hij had gepleegd, kwam steeds dichterbij. En op een mooie lentedag schreef hij een brief aan zijn vrouw en dochter. Hij wenste hun de zegen van God, hij wist dat hij die zelf niet meer kon krijgen. Zijn moed het lot in eigen hand te nemen was de laatste eer die hij hun kon bewijzen. Een maand later, toen de oorlog was afgelopen, werd Beate door de Russen openlijk veroordeeld. Dat gebeurde met zoveel geweld dat ze er bijna aan bezweek. Door haar gevangenneming zag ze haar andere kind, Erika, drie jaar lang niet. De dag dat ze herenigd werd met haar dochter nam ze zich voor om hier nooit met iemand over te praten. Ruim dertig jaar later ontdekte Erika dat ze borstkanker had. Ze wist dat ze zou sterven en smeekte haar moeder om haar te vertellen wat er gebeurd was in de oorlog. Ze kreeg het te horen. Tot in detail. Erika en Beate stierven daarna binnen een jaar. Einde verhaal.'

'Jouw moeder en je oma.'

'Ja.'

'Goh...' Het voelt ongepast om meteen door te vragen. Markus zucht. 'Dit verklaart natuurlijk nog niet waarom jij hierheen moest komen. Het verhaal gaat verder bij mijn generatie.' Weer wil hij zijn lege glas oppakken om te drinken. Moet ik voorstellen om een nieuwe fles open te trekken? 'Ik probeerde mijn vader tot bedaren te brengen, maar zijn boosheid viel niet te beteugelen. De emoties die zich in de loop van zijn leven hadden opgehoopt waren tot een uitbarsting gekomen en er was geen houden meer aan. Buren die kwamen klagen over de herrie werden door hem bedreigd. Hij belde zijn kameraden bij de Stasi om Andreas Hoffmann aan te geven voor de grootste misdaden tegen het DDR-regime. Toen bleek dat de Stasi helemaal geen macht meer had heeft hij zijn rode Trabant – waar hij zes jaar op had moeten wachten – met een honkbalknuppel in elkaar geslagen. De boetes die hij vervolgens kreeg omdat hij weigerde het wrak te laten wegslepen, verbrandde hij. Uiteindelijk verbrandde hij ook het boek. Als ik er niet op tijd bij was geweest, zou hij zijn gestikt in de rook. Het hele flatgebouw werd geëvacueerd door de brandweer. Het kon hem niks schelen. Toch leek het na dat incident beter met hem te gaan. Alsof de rook zijn exploderende hoofd had gedoofd. Hij liet de Trabant wegslepen en kocht een oude Lada. Steeds vaker ging hij op pad. Uitstapjes naar de verdorven wereld, noemde hij het. Ik vertrouwde het niet helemaal, maar wat kon ik doen? Bovendien was ik blij dat ik mijn nieuwe leven weer kon oppakken: seks, drugs, rock-'n-roll. Natuurlijk heb ik het mezelf achteraf verweten... Ik... Sorry.' Hij staat op en loopt naar het raam. 'Vind jij het hier ook zo warm?'

'Gaat wel.' Waar gaat dit verhaal in godsnaam naartoe? Ik weet niet of ik het wil weten. Markus heeft het raam op een kier gezet en komt weer tegenover mij zitten. Zijn voorhoofd is nat. Opnieuw dwaalt zijn blik naar zijn glas en de lege fles.

'Ik heb dit nog nooit aan iemand verteld. Goed, ik dacht dus dat het beter ging met mijn vader. Tot hij op een dag thuiskwam van een van zijn autoritjes en me belde. 'Markus, ik heb onze eer hersteld!' Ik had geen idee waar hij het over had. 'Het leven is een aaneenschakeling van goede bedoelingen, mijn jongen, dat moet je nooit vergeten.' Dat waren zijn laatste woorden, daarna hing hij op. Ik vroeg aan mijn huisgenoot om me met zijn oude Volkswagenbus naar huis te brengen. Ik wist dat er haast bij was. Zo snel als het verkeer het toeliet, scheurden we naar de Leegestrasse. Mijn huisgenoot parkeerde het bestelbusje op de stoep en ik rende naar binnen. Toen ik de sleutel in de voordeur stak, hoorde ik hem nog 'vuile zwijnen!' roepen. Gelukkig, dacht ik. Maar in de tijd dat ik de sleutel had omgedraaid, de deur had geopend en vijf stappen in de gang had gezet, was het gebeurd. Ik kwam in een lege huiskamer. Het raam stond wagenwijd open.'

'Nee, wat erg!' Over de tafel pak ik zijn hand. Hij trekt hem vrijwel meteen terug en wrijft over zijn voorhoofd.

'Erger dan je zou kunnen denken. Ik liep naar het open raam en verwachtte zijn levenloze lichaam beneden te zien liggen. Het klopte, hij had zich inderdaad uit het raam gestort, in de hoop verlost te worden van zijn ellendige bestaan. Maar in plaats van een dodelijke smak op de stoeptegels te maken, was hij terechtgekomen op de bestelbus van mijn huisgenoot. Het dak had zijn val gebroken. Hij leefde nog.

'Dus je hebt hem gered.'

'Tegen mijn vaders wil en dank, ja. Het gevolg was erger dan zijn deprimerende gewoonten, erger dan zijn onbeheerste woede. Ik had een vader die niks meer wist en nog nauwelijks iets kon. Tot hij doodging, twee jaar geleden, heb ik ervoor gezorgd dat hij hier verpleegd werd. In zijn eigen omgeving. Op zijn eigen fauteuil voor het raam.'

'Triest. Hoeveel kan er misgaan in een mensenleven.'

Markus lacht schamper. 'Nog veel meer, Lizzy. Nog veel meer. Twee dagen na deze gebeurtenis las ik de rouwadvertentie in de krant. Andreas Hoffmann was met zijn motor verongelukt. Ik schrok me rot. Ik moest weten of het waar was wat ik dacht, dus belde ik zijn uitgever en gaf me uit voor een kennis van Andreas. De uitgever vertelde me dat er geen getuigen waren van het ongeluk, maar dat hij om vijf voor vier 's middags gevonden was langs de snelweg bij Dessau. Het moest vlak daarvoor gebeurd zijn. Vijf voor vier. Mijn vader had me gebeld om iets over halfzes. De tijd die het kostte om van Dessau naar Berlijn te rijden was precies anderhalf uur.'

'Dus jij denkt dat jouw vader...'

'Ja.'

'Maar dat weet je toch niet zeker. Het is nooit bewezen.'

'Niet alles wat waar is, wordt ook bewezen.'

De aanblik van onze borden met etensresten maakt me ineens misselijk. Ik heb frisse lucht nodig. Ik sta op van tafel en wil naar het raam lopen. 'Wacht Lizzy, ik wil heel graag dat je de rest hoort.' Ik knik zwak en ga weer zitten. Probeer niet te kijken naar de afgekloven botjes. Niet het koude zweet op mijn rug te voelen. Mijn droge mond.

'De krassen op zijn Lada namen mijn laatste twijfel weg. Mijn vader had Andreas vermoord. De uitgever met wie ik had gebeld, vertelde me dat de begrafenis de volgende dag zou plaatsvinden, in Leipzig. Terwijl de doktoren vochten voor het leven van mijn vader, trok ik zijn donkere pak aan. Ik pakte zijn nooit gebruikte camera uit de kast, kocht een fotorolletje en nam de trein.'

'Dus jij hebt wél die foto's gemaakt?'

'Ja. Sorry, na vanavond zal ik nooit meer tegen je liegen.'

De manier waarop hij die laatste zin uitspreekt, maakt dat ik weg zou willen rennen. Niet omdat ik twijfel aan zijn belofte, maar omdat die me de keel dichtsnoert.

'Ga maar door.' Hoe sneller we hiermee klaar zijn, hoe beter. Dan kan ik mijn spullen pakken en vertrekken. Ik heb hier niks mee te maken. Wil hier ook niks mee te maken hebben. Had ik maar gewoon mijn intuïtie gevolgd.

'Toen ik op de begrafenis kwam, zag ik haar voor het eerst. Zij was de nicht van Andreas. Net zoals ik een neef van Andreas was – mijn moeder was zijn halfzus. Een neef die hij weliswaar nooit heeft leren kennen. Zonder het te weten hadden Monika en ik iets gemeen. Familiebloed. Alleen had zij de goede bloedcellen geërfd, ik de kwade. Maar nu was Andreas dood en waren het goede en het kwade voor eeuwig gescheiden. Ik keek naar haar serene gezicht. Het verdriet in haar ogen. En ineens wist ik het. Er was een manier om de cirkel weer rond te krijgen. Een middel om mijn levenslijn om te buigen naar de juiste richting. Het zou hard werken worden, maar ik wist dat het zou kunnen. Mijn persoonlijke missie om het kwade naar het goede te keren. Om de keten van ongeluk, van pech en onheil, te doorbreken. Ik had een doel. Een doel waar ik niemand over vertelde.'

Ik voel me niet goed. Hoe kom ik hier weg? 'Markus, ik... zou ik een glas water mogen? Ik eh... ik voel me niet lekker.'

'O lieverd, wacht maar even.' De bezorgdheid in zijn blik lijkt oprecht. Hij staat op. In de tijd dat hij in de keuken is, zou ik kunnen vluchten. Vanuit mijn ooghoeken volg ik hem. Net voordat hij de hoek omgaat naar de gang, draait hij zich om. 'Niet weggaan, hè. Ik weet zeker dat je de rest ook wilt horen.'

Ik knik en forceer een glimlach. Dan verdwijnt hij de hoek om. Er is maar één manier om bij de buitendeur te komen. Via de gang. De eerste deur links is de keuken; als hij de keukendeur open heeft gelaten, lukt dat nooit ongezien. Tenzij ik heel snel ben. Ik sta op. Twijfel, één, twee, drie seconden. Vanuit de open deur naar de gang hoor ik zijn stem dichterbij komen. 'Ik heb er ijs in gedaan, ik hoop dat dat goed is.' Het moment dat ik had kunnen wegkomen is voorbij. Opgelaten ga ik weer zitten.

Hij zet het glas voor me neer. Ik verwacht dat hij weer tegenover me komt zitten, maar hij blijft staan. Schuin achter me. Ik drink een paar slokken, maar hou een droge mond. Hij legt zijn handen op mijn schouders en begint te masseren. 'Je bent gespannen.'

Ik draai me met een ruk om. 'Vind je het gek? Dit is nogal heftig. Wat doe ik hier? Waarom moet ik dit allemaal weten?' Bij de laatste woorden breekt mijn stem.

'Ssst. Lieve Lizzy, rustig. Rustig maar.' Hij heeft zijn handen van me afgenomen en twee stappen naar achteren gedaan. 'Ik snap dat je bang bent. Maar voor mij hoef je dat niet te zijn. Het enige wat ik aan je wil vragen is om het verhaal tot het einde aan te horen. Ik zal je niet meer aanraken, kom niet meer in je buurt, en als het afgelopen is, kun je zo de deur uitlopen.'

Ik dwing mezelf om in het groen van zijn ogen te kijken. *Vertrouw je mij?* Kan ik hem vertrouwen? Zijn ogen knipperen niet, ze kijken rustig in de mijne. Lijken eerlijk.

'Vertel maar verder.'

Hij loopt met een boog om de tafel heen en gaat weer zitten.

'Het was afgelopen met de uitspattingen. Ik pakte mijn studie medicijnen weer op en zocht een stageplek in Leipzig. Ondertussen hield ik haar van een afstand in de gaten. Ik kwam erachter dat ze een bijbaantje had in de bioscoop. Pas na heel veel films durfde ik haar mee uit te vragen. Ze zei ja. Dat was het begin. Wat ik vermoedde bleek waar. We pasten heel goed bij elkaar. Mijn plan leek te gaan lukken.'

Hij bijt op zijn lip. Kijkt dan weer naar mij. 'Sorry, ik zal wat sneller doorgaan.'

'Is wel goed.' Misschien heb ik me toch in hem vergist.

'Ons leven was goed. We hadden een fijne relatie, deelden veel, zowel op werk- als privévlak. Acht jaar lang waren we de gelukkigste mensen op aarde. Maar toen stierf mijn vader. Eerlijk gezegd had ik gehoopt dat zijn hart het al eerder zou begeven. Mijn vader had zelf niets aan zijn leven, en voor mij was het alleen maar een last. Drie keer per week moest ik naar Berlijn om hem te bezoeken en ervoor te zorgen dat alles goed bleef lopen met de verpleging. Eigenlijk hadden Monika en ik net besloten om maar te verhuizen, zodat ik dichter bij hem kon zijn. En ik had al een baan geaccepteerd in Berlijn. Achteraf had ik beter kunnen wensen dat hij eeuwig was blijven leven. Want door zijn dood kwam alles aan het licht. We waren op zijn begrafenis, Monika, ik en een handvol oude vrienden van mijn vader. Ik was nergens op bedacht. In de loop van de jaren was ik erop gaan vertrouwen dat ons gemeenschappelijke verleden altijd voor haar verborgen zou blijven. Maar het liep anders. Tijdens de dienst noemde de pastoor de meisjesnaam van mijn moeder. Monika fluisterde nog in mijn oor dat haar oma toevallig ook getrouwd was geweest met een Heinrich. Daarna, tijdens de koffie, kwam een oude collega van mijn vader naar ons toe. Hij condoleerde ons en schudde zijn hoofd over de pech die mijn vader in zijn leven had gekend. Ik knikte vriendelijk en wilde Monika meetrekken naar de pastoor om afscheid te nemen, toen de man zei: "Maar dat verdomde boek heeft hem de das omgedaan." "Welk boek?" vroeg

Monika geïnteresseerd. *"Das vergessene Gesicht*, natuurlijk. Al die leugens over zijn familie." Ik dacht dat mijn hart het op dat moment zou begeven. Monika keek me verschrikt aan. Ik schudde meewarig mijn hoofd. Geen idee waar die man het over heeft. Maar het kwaad was al geschied.'

'Dus je hebt al die jaren verzwegen dat jij...'

Zijn ogen kijken me fel aan.

'Ja, wat denk je? Was zij ooit voor mij gevallen als ik het had verteld? Ik kwam van de slechte kant. De gemene tak.'

'Nou, misschien had je na een tijdje...'

'Nee, dat was onmogelijk. Al mijn inspanningen om haar vertrouwen te winnen. Om haar mijn goedheid te tonen. Het zou allemaal voor niks zijn geweest.'

'En, was het voor niks?'

'Ja en nee. In eerste instantie was ze zo boos dat ze onmiddellijk bij me weg wilde. Maar dat was slechts een impuls. Twee dagen nadat ze de waarheid had ontdekt begon ze weer tegen me te praten. De dozen die ze aan het pakken was, bleven halfleeg. Haar vastberadenheid om mij te verlaten nam met de dag af. Ze was in de war. Wist het niet meer, zei ze.'

'En jij, hoe was jij hieronder?'

Markus haalde zijn schouders op. 'Het was natuurlijk heel pijnlijk, maar nu alles uitgekomen was hoefde ik de schijn niet meer op te houden. Ik was een goede man voor haar geweest al die jaren, dat wist ik en dat wist zij. Maar ik had een deel van mijn verleden verzwegen, ja. Is dat de grootste misdaad die een mens kan begaan? Ik was niet verantwoordelijk voor mijn verleden, maar werd er wel op afgerekend. Nee, ik voelde me niet schuldig. Verdrietig, dat wel. Het lag nu in haar handen.'

'En wat deed ze?'

'Niks. Na een paar weken deed ze alsof er niks was gebeurd. Het zorgde voor een ommekeer in onze relatie. Waar ik vroeger degene was die niet overal open over kon zijn, was het nu

Monika die dingen ging verzwijgen. Het enige dat ik kon doen was geduld met haar hebben.'

Mijn angstige hart is iets gekalmeerd. Ik geloof zijn verhaal. Ondanks de rare kronkels die zijn geest heeft gemaakt en de vreemde beslissingen die hij heeft genomen. Ik drink mijn glas water leeg. Een blokje ijs glijdt door mijn keel.

'Maar ze werd steeds losbandiger. Kwam soms nachten niet thuis. Als ik vroeg waar ze was geweest, riep ze dat het me geen moer aanging. Ze vermagerde en zag er verwaarloosd uit. Ik maakte me zorgen, maar het leek alsof iedere poging om haar te helpen het alleen nog maar erger maakte. Tot ze op een dag thuiskwam met de mededeling dat ze een kind van me wilde. Ik was verbaasd, maar ik wilde heel graag geloven in deze plotselinge wending. Ze raakte ook meteen zwanger en alles leek weer even helemaal goed te gaan. Maar toen kreeg haar moeder een ongeluk, met fatale gevolgen.'

'Een auto-ongeluk?' Dit zou toch niet ook iets met zijn familie te maken hebben? Waar ben ik in godsnaam in beland? Oorlog en gekte.

Markus schudt zijn hoofd. 'Ze gleed van de trap. Haar vriendin die achter haar liep zag het gebeuren. Ze brak haar nek en was op slag dood.'

'Wat afschuwelijk.'

'Ja, dat was het zeker. De klap voor Monika was zo groot dat ze in een zware depressie raakte. Maar ze mocht geen medicijnen nemen omdat ze zwanger was. Ik wist niet wat ik moest doen. Ze riep dat de baby vergiftigd was en door de duivel was aangeraakt. Dan weer begon ze te huilen als een klein meisje en fluisterde dat het kindje niet van mij was.'

'Was dat waar?'

'Ik wist het niet. Maar ergens had ik wel het vermoeden dat het waar kon zijn. In de periode vlak voor ze zwanger is geraakt heeft ze twee nachten niet thuis geslapen. Het zou ook haar plotselinge kinderwens verklaren...' Hij houdt even in. 'Wil jij ook nog wat water?' Ik knik. Markus staat op en loopt weer naar de keuken. Ik kijk door het raam naar de huizen aan de overkant, waar steeds meer lichten branden. Buiten is het schemerdonker. Hoe laat zou het zijn? Zou er nog een vliegtuig gaan vanavond? Of zal ik toch blijven? Zien wat het lot voor mij in petto heeft.

'Ik ruim zo af, hoor.' Markus zet twee volle glazen water op tafel en knipt het licht aan. 'Zo, nu kunnen we elkaar tenminste blijven zien.'

Een ingetogen glimlach glijdt over zijn gezicht. Of is dat een verkeerde interpretatie? Wat moet ik nog geloven? Zijn woorden, zijn glimlach? Of mijn bange voorgevoelens? Wanneer komt de clou van dit verhaal?

'Ik denk overigens dat de bekentenis van Monika, dat ik niet de vader van het kind was, mijn besluit wel heeft beïnvloed.'

'Welk besluit?'

'Akkoord te gaan met het voorstel van de psycholoog om de foetus te laten aborteren, zodat Monika zo snel mogelijk aan de medicijnen kon. Een langdurige psychose kan permanente hersenbeschadiging opleveren. Ik wilde haar niet nog verder zien afglijden.'

Er volgt een lange stilte. Hij drinkt van zijn water en kijkt naar buiten. Onverwacht staat hij op, loopt naar het raam, trekt de gordijnen dicht en blijft dan in het midden van de kamer staan. 'Het volgende is moeilijk voor me...'

Ik sta ook op. Loop naar hem toe en ga vlak bij hem staan. Even neig ik ernaar hem te troosten met een aanraking. Maar mijn impuls verdwijnt en ik sla mijn armen over elkaar. Alsof ik het koud heb.

'Toe maar. Je bent nu al zo ver gekomen.'

'Nadat ze met de medicijnen begonnen was, ging het snel beter met haar. De uitgestelde verhuizing ging eindelijk door, en over ons kind werd niet meer gesproken. Monika had haar werk weer opgepakt en ze zou naar een congres gaan in Londen. Ik was blij voor haar en er was geen reden om te denken dat we niet uit deze strijd zouden komen. Misschien zelfs met een baby. De ochtend van haar vertrek hadden we nog met elkaar gevreeën. Sorry, ik hoop niet dat je het erg vindt dat ik dit zeg.'

Ik schud mijn hoofd en druk mijn armen steviger tegen mijn lichaam. 'Ze kuste me en zei dat ze van me hield. Toen liep ze de deur uit. De volgende dag vond ik een cassettebandje bij de post. Er zat geen briefje bij, niks. Verbaasd stopte ik hem in de recorder.' Hij loopt naar de stereo-installatie en drukt op play. Gaat hij me nu echt de tape laten horen? Een zware ruis vult de ruimte. 'Lizzy, mag ik je vasthouden?' Ik schrik. Zie zijn slungelige lijf, zijn hulpeloze blik, en knik dan zwak. Hij slaat zijn armen om me heen. Uit de boxen klinkt een vrouwenstem.

'Lieve Markus, je zult wel verbaasd zijn mijn stem te horen.' Dit stemgeluid: helder, open, bijna luchtig. Dit is nou Monika. 'Ik heb jouw apparaat gebruikt om mezelf op te nemen. Wees gerust, ik heb niet een van je tapes met werkanalyses gebruikt. Wel heb ik even naar je stem geluisterd. Ik hoorde het zakelijke geluid waarmee je de diagnose, suikerziekte, stelde bij een achtentwintigjarige werknemer. Ik begreep nooit waarom je deze dictafoon gebruikte voor je verslagen. Waarom je niet meteen een schriftelijke analyse maakte. Toen ik er een keer naar vroeg, zei je dat je je eerste indruk meteen wilde vastleggen. Dat elke seconde die jou van de patiënt verwijderde de diagnose minder zuiver maakte. Typisch jij. Altijd zo nauwkeurig mogelijk. Bang voor elke vorm van onzuiverheid.'

Er valt een korte stilte. Het lijkt of ze zoekt naar woorden. Ik ben bang dat ik weet waar ze naartoe wil. En ik denk niet dat ik het gewicht van zijn lichaam kan dragen. Weet niet of ik genoeg verse lucht kan blijven ademen om niet te stikken in zijn strakke omhelzing. Monika begint weer te praten. Haar stem klinkt zachter, ijler, alsof ook haar de zuurstof ontnomen wordt.

'Onzuiverheid, dat is precies waar dit bericht over gaat. Jij hebt je leven lang geprobeerd om de ruis uit te bannen. De mist te verdrijven die je het zicht belemmert. Jij moest zien te voorkomen dat je leven vertroebelde door het voorafgaande. Alsof de geschiedenis te bevechten viel. En ik werd meegesleurd in die strijd. Niet dat ik dat toen al in de gaten had. Nee, ik danste vrolijk mee op de door jou gekozen muziek. Ik luisterde naar je fantastische verhalen en liet me graag vangen door jouw beschermende armen. Jij was mijn held, Markus. Maar ook ik werd volwassen en begon een eigen mening te vormen. Weet je nog die keer dat we ruzie kregen over het feit dat jij "torentjes" bouwde. Met suikerklontjes, visitekaartjes, theezakjes... Altijd was je dingen aan het ordenen en herschikken. Het irriteerde me steeds meer en ik gooide de stapeltjes omver. Jij lachte me uit en zei dat ik niet tegen geordendheid kon. Dat ik chaos verkoos omdat ik bang zou zijn voor mijn eigen onzekerheid. Dus bestreed ik andermans zekerheid met mijn eigen wanorde, zei je. Ik ontplofte bijna. Wat een psychoanalytische onzin! Ik hield gewoon niet van stapeltjes. Punt. Maar nee, er moest altijd een psychologische verklaring gezocht worden, die toch jouw gelijk weer bewees. Snap jij dan niet dat er verschillende manieren zijn om tegen de dingen aan te kijken? Dat mijn recalcitrantie een reactie was op jouw eeuwige feitelijkheden? Jouw verwachtingen. Ik wilde dat je mijn mening ging erkennen. Dat je zou zien wie ík was. Ik, en niet de Monika die jij van mij had gemaakt.'

Ze laat een stilte vallen. Alsof ze haar emoties weer onder controle probeert te krijgen. Ik maak me los uit Markus' omhelzing. 'Sorry, zo warm.'

'Geeft niet.' Hij laat zijn armen van mijn schouders glijden en pakt mijn klamme handen. Monika's stem klinkt weer door de kamer.

'Jouw vader stierf. En datgene wat je altijd krampachtig verborgen had gehouden kwam uit. Ik was verbijsterd. Niet eens zozeer over wat er vroeger gebeurd was en over onze blootgelegde familiebanden. Ik was vooral gechoqueerd door jouw beslissing om mij aan je te binden. Ik was slechts een onderdeel geweest van jouw masterplan. Jouw absurde poging om de wereld om te draaien.' Ze schraapt haar keel. Ik hoor een glas of kopje dat wordt opgepakt en weer neergezet. Dan snuift ze twee keer. Het begin van een lach, die vervolgens uitblijft. 'Het voordeel was dat ik je eindelijk snapte. Ik snapte je verkramptheid om alles perfect te willen doen. Je drang om de rest van de wereld buiten te sluiten. Je behoefte om mij op een voetstuk te zetten. Maar in plaats van weg te rennen bleef ik, in de hoop...' Ze maakt haar zin niet af. Markus laat me onverwacht gaan en zakt op de groene stoel. Zijn gezicht begraaft hij in zijn handen. Met hese stem gaat Monika verder. 'Markus, ik weet dat je denkt dat alles weer goed gaat met mij. Met ons. Maar het tegendeel is waar. Ik ben kapot. Mijn liefde voor jou is zoek en ik heb geen idee waar ik die kan terugvinden. Het spijt me. Ik weet dat je alles hebt gedaan om mij gelukkig te maken. Dat ik een doel was op zich. Jouw verse lucht, jouw adem. Maar jouw angst voor onzuiverheden heeft onze relatie juist onzuiver gemaakt en besmeurd met egoïsme, met zelfhaat en met de dood. De baby die in mij groeide... Hij was van jou Markus. Van niemand anders.'

Ik kijk naar zijn bewegingloze lichaam, zittend op de stoel, zijn handen voor zijn gezicht. Monika praat weer door.

'Na Londen kom ik niet meer naar huis.'

Haar stem klinkt nu zakelijk. Kil bijna.

'Ik zal je laten wennen aan mijn afwezigheid, voor ik mijn

spullen kom halen. Over een week of drie neem ik contact met je op. Probeer me niet te bellen of te zoeken. Laat me gaan, Markus.' De ruis op het bandje houdt nog even aan, dan stopt het geluid. In de verte klinkt een claxon, een auto rijdt door de straat. Stilte.

'Heb je haar laten gaan?'

Markus wrijft over zijn gezicht. En kijkt me dan met knipperende ogen aan.

'Ja, ik had weinig keus. Ze is nooit teruggekomen uit Londen.' Hij zucht, staat op en komt met zijn handen in zijn zakken voor me staan. 'Dit was het verhaal, Lizzy. De rest ken je. Precies een jaar na Monika's verdwijning sta jij op de stoep. Je lijkt als twee druppels water op haar en hebt haar koffer bij je. Natuurlijk bracht het me in de war. Het afgelopen jaar heb ik mezelf gedwongen om elke dag op te staan. Om te gaan werken en soms een biertje te drinken met collega's. Door jouw verschijning kwam alles ineens weer naar boven.'

'Een toevallige loop van omstandigheden.' Mijn benen voelen zwaar. Hoe lang sta ik hier al? Ik voel me draaierig worden. Ik wil weg hier. Misschien niet voor altijd, maar nu wil ik weg. 'Ik wil graag naar huis. Mag ik gaan?'

Hij knikt. 'Natuurlijk. Het is nooit mijn bedoeling geweest om je...' Hij maakt zijn zin niet af. 'Sorry...'

Huilt hij nou? Nee, niet op ingaan. Ik moet mijn gedachten weer op een rij krijgen. Dan weet ik waar ik sta en waar ik naartoe wil. Ik pak mijn tas en zoek naar woorden om ons afscheid te vergemakkelijken. Hij is me voor. 'Mag ik je voor je vertrekt nog één keer vasthouden?'

Met mijn tas in mijn hand loop ik naar hem toe. Hij spreidt zijn armen en ik ruik zijn inmiddels vertrouwde lucht van aftershave en mannelijk zweet. Hij houdt mij vast en ik hou mijn tas vast. Zo staan we daar een paar seconden, tot ik voel hoe zijn lichaam begint te schokken.

'Markus, gaat het?'

Hij laat me los.

'Ga nu maar.' Hij probeert zijn bevende lijf onder controle te krijgen. Schaamt zich voor zijn verdriet.

'Ik kan ook nog wel even blijven?'

'Uit medelijden? Nee dank je.' Ruw veegt hij de tranen van zijn gezicht.

'Niet uit medelijden. Uit... weet ik veel.'

'Zal ik een hotel voor je bellen?'

'Nee, ik neem gewoon hetzelfde hotel. Dat zit volgens mij toch nooit vol.'

Hij doet een poging om te lachen. Een rare grimas is het resultaat.

'Het zou fijn zijn als je een taxi voor me kunt bellen.'

'Dat is goed.'

Dit lijkt zowaar weer op een normaal gesprek van normale mensen. Markus pakt zijn gsm uit zijn broekzak en toetst een nummer in. Dan bedenkt hij zich. 'Ik kan je wel even brengen.'

'Als je dat niet vervelend vindt...'

'Nee, natuurlijk niet.' Het lijkt bijna onwaarschijnlijk dat het hele gesprek van vanavond heeft plaatsgevonden. Een magnifiek verhaal, maar niet echt gebeurd. Leuke nieuwe hobby: elkaar dingen op de mouw spelden. 'Of wil je nog een drankje?' Ik schrik op uit mijn gedachten. Als ik nu wegga, is alles voorbij. Wil ik dat wel? Misschien een kop thee, om een beetje bij te komen. Of een slaapmutsje om het goed af te ronden. Daarna ga ik meteen weg. Dat beloof ik mezelf.

'Och, vergeten.'

'Wat?'

'Ik had nog een dessert. Daar ben ik vanmiddag twintig kilometer voor omgereden. Daarom kon ik je ook pas om vijf uur ontvangen. Ik was op jacht naar de lekkerste ijstaart van Berlijn. Wil je niet een klein beetje proeven?'

Terwijl hij de tafel afruimt, loop ik naar de keuken om het ijs te pakken. De vriezer is niet te missen, volgens Markus. Hij heeft gelijk. Het is zo'n zelfde logge vrieskist als mijn ouders hadden. Alleen werd die niet gebruikt voor delicatessen maar voor witte broden en halve koeien. Er ligt een keurig gebloemd kleedje op, een snijplank en een krant. Een oude krant weliswaar, want hij is uitgedroogd en vergeeld. Ik leg de snijplank tussen de rommel op het aanrecht. Dan pak ik de krant en het kleedje. Ik wil ze op de vensterbank leggen als mijn oog valt op de krantenkop: 'Nederlandse Elizabeth Koster redt onze Helmut'. Mijn mond valt open. Dat ben ik. Op de vergeelde foto sta ik stralend te lachen in mijn ondergoed. Dit kan niet. Dit is niet waar. Dit...

'Lukt het?' Markus' stem vanuit de kamer doet mijn hart overslaan. Ik begin te hyperventileren. Dit kán niet. Ik ben hier niet toevallig. De koffer is niet zomaar bij mij bezorgd. Iemand heeft ervoor gezorgd dat ik hier terecht zou komen. Markus. Mijn god. Dit was de hele opzet. Hij heeft het allemaal geënsceneerd. Ook ik ben een onderdeel van zijn masterplan. Zijn gekte... Met welk doel? Me te vermoorden, net als Monika? Natuurlijk is zij dood. Hoe kon ik zo naïef zijn. O, mijn hemel... Hoe kom ik hier weg? Gedachten razen door mijn hoofd. Niks laten merken. Of juist wel? Hij heeft die krant hier toch niet voor niks achtergelaten? Hij wilde dat ik hem zou vinden. Dat zijn plan zou uitkomen. 'Ik kom eraan!'

'Bordjes vind je in de kast boven het aanrecht!' Zijn stem verraadt niets. Ontspannen, luchtig. Niet beducht voor mijn ontsnapping. Dit is het moment, nu kan ik wegrennen. Mijn ogen schieten over het aanrecht. Een mes, iets waarmee ik me kan verdedigen. Ik gris een aardappelschilmesje van het aanrecht. Ik draai me om naar de deur, zet twee stappen. Dan komt hij de keuken binnen. Zijn handen vol met vuile borden en bestek. 'Kun je het vinden?' Ik deins achteruit en stoot tegen de vriezer. Markus glimlacht. 'Hij is toch niet geplet, hè?'

'Wat?'

'De ijstaart natuurlijk.' Hij schuift met zijn elleboog een pan opzij om de borden te kunnen neerzetten. 'Daar, in de vriezer.' Hij knikt naar de plek waar de krant lag. Volledig onschuldig, zo lijkt het. Zou het kunnen dat die krant daar toevallig terecht was gekomen? Dat hij mij nooit herkend heeft. Toeval, toeval. Doen alsof er niks aan de hand is. 'Ik eh... ik wilde hem net pakken.' Het mesje verborgen in mijn handpalm. Het moet er zichtbaar uitsteken. Hij let niet op me. Is bezig de etensresten in de vuilnisbak te gooien. Ik duw de zware deksel omhoog. Witte damp ontsnapt. Slaat kil in mijn gezicht. Ik zie een taartdoos. Buig me voorover en pak hem beet. Dan, onder de mist, zie ik iets... de contouren van diepgevroren vlees? Een sculptuur? Melkwit. Zachte vorm. Ik buig dieper om het beter te kunnen zien. Dan herken ik het. Opengesperde koude ogen. Bevroren huid. Harde mond. Een vrouw. Dood. Mijn hart staat stil. De angstkreet komt van ver, de grond onder mijn voeten zakt weg. Alles wordt donker.

'Ssst, rustig maar. Stil maar, Lizzy.'

Wat? Waar ben ik? Ik probeer omhoog te komen, maar iets houdt me tegen. Mijn armen en benen zijn vastgebonden aan het ijzeren frame van het bed. Ik lig in Markus' oude jongenskamer. Zijn gezicht is vlak boven het mijne. 'Laat me los! Klootzak! Ik wil naar huis!'

'Ssst, rustig meisje, rustig. Ik weet dat je boos...'

'Wat ga je doen? Mij doden?' Ik draai met mijn bovenlijf. Probeer me los te worstelen. Grijp naar iets van houvast. 'Hélp! Help me!' Ik gil zo hard dat mijn keel kapotscheurt. Mijn longen barsten.

'Schreeuwen heeft geen zin!'

'Hélp! Hier, help me!'

Het monster drukt zijn handen op mijn mond, mijn geluid verstomt. Wild hap ik in zijn vingers. Ik heb beet. Proef zijn bloed. Spuug het in zijn gezicht. 'Klootzak! Maak me los! Hélp!'

'Ophouden nu!' Hij schreeuwt in mijn gezicht om mij te overstemmen. 'De muren zijn te dik. Niemand zal je kunnen horen!'

Ik blijf mijn longen leeg schreeuwen. 'Ik geef je de keus: of je houdt nu je mond of je dwingt me je zo hard te slaan dat je niet meer kúnt gillen!'

Snuivend bijt ik mijn tanden op elkaar. Dit gebeurt niet echt, dit is niet waar! Ik ben hier niet. Dit zijn berichten die ik in kranten lees, maar dit overkomt me niet echt. Nee. Het kan niet, het kan niet. Ik knijp mijn ogen stijf dicht. Straks, als ik ze weer opendoe, is alles verdwenen. Hij, deze kamer, Berlijn. 'Lizzy, luister.'

Niet doen, niet luisteren. Leugens, dit is een gek. Een waanzinnige die elk gevoel van realiteit is verloren.

'Ik wil je wel losmaken, maar dan moet ik eerst weten of er medicijnen zijn waar je niet tegen kunt. Lizzy?'

'Gaat je niks aan!'

'Ik wil je iets geven om je te kalmeren, daarna zal ik je losmaken...'

'Om me te vermoorden? Net als Monika? Ik wil niet dood. Alsjeblieft. Mama, help me. Mama!' De angst snoert mijn keel dicht. Tranen lopen over mijn wangen. Ik voel hoe ik in mijn broek plas. 'Alsjeblieft. Alsjeblieft, doe me niks. Ik heb je toch niks misdaan? Ik heb hier niks mee te maken. Alsjeblieft. Ik smeek je, dood mij niet.' Ik kan het snikken niet stoppen. 'Help me...'

'Rustig nou. Je hoeft niet bang te zijn. Ik ga je niet vermoorden. Dan zou ik toch niet vragen of je allergisch bent.' Zijn gezicht boven me. Zogenaamd medeleven. Van een gestoorde. Wacht even. Kalmeer. Ik ben niet degene die krankzinnig is. Ik moet hem te slim af zijn. Mijn verstand erbij houden, hem weer overtuigen van mijn vertrouwen. Ik kan dit aan. Ik kan het. Rustig, rustig.

'Ik ben niet allergisch. Maak je me nu los?'

'Ja, even wachten.' Hij loopt uit mijn blikveld en komt terug met iets... een soort statief met daaraan een apparaat. In zijn handen heeft hij een injectiespuitje. Ik voel mijn ademhaling weer versnellen. 'Dit is alleen maar een kalmeringsmiddel.' Hij trekt het hoedje van de naald en nog voor ik kan protesteren spuit hij hem leeg in mijn buik. 'Nu zal het gevoel van paniek afnemen. Ik eh... maak je geen zorgen, ik zal je zo wel verschonen.'

'Dat kan ik zelf wel. Als je me tenminste losmaakt.'

'Momentje nog.' Hij gaat door met zijn handelingen, doet de stekker van het apparaat in het stopcontact, pakt iets uit een tas, een dikke spuit met vloeistof, en legt hem in het apparaat aan de paal boven mijn hoofd. Nu pas heb ik het door. Het is een infuus. Hij gaat een infuus bij me aanleggen.

'Wat is dat?'

'Dit is een doseerpomp met bupivacaïne. Een middel tegen pijn.'

'Hoezo? Ik heb geen pijn. Maak me los!'

'Ik maak je los. Maar je moet goed naar me luisteren. Als je dat niet doet kan het misgaan. Oké?'

Ik knik. Vertrouwen wekken. Rustig mijn moment afwachten. Niets laten merken.

Hij buigt over me heen en maakt mijn linkerbeen los. Nu al gaan schoppen zou zinloos zijn. Dan knoopt hij mijn arm los. Hij pakt hem stevig beet en trekt hem naar de andere kant, zodat ik op mijn zij kom te liggen.

'Wat doe je?'

'Dit moet even. Alsjeblieft geen rare bewegingen. Het moet allemaal heel precies gebeuren.'

'Wát, wat moet er gebeuren?'

'Ssst.' Hij wrijft met een koud watje over mijn nek. Dan scheurt hij een zakje open waarin een soort naald zit.

Wild begin ik met mijn hoofd heen en weer te schudden. 'Nee, nee. Niet doen.' Ik probeer hem te trappen met mijn vrije been. Raak hem tegen zijn schouder. Hij pakt mijn been en drukt het op het bed.

'Stil liggen nu!'

'Niet voordat je zegt wat je met me gaat doen.'

'Ik geef je pijnstillers, dat is alles.'

'Hoezo? Ik heb geen pijn.'

'Het maakt je lichaam wat... slap. Zodat je niet kunt wegrennen.'

'Blijf ik bij bewustzijn?'

'Ja.' Hij zucht. 'Sorry dat het allemaal zo moet, Lizzy. Maar het komt echt goed, dat beloof ik je.'

'Hoe kan ik jou nog geloven na wat er met Monika is gebeurd?'

'Nee, dat kan ik me voorstellen. Toch vraag ik het je. Ik wil je geen pijn doen. Echt niet.' Hij voelt in mijn nek. Een aanraking die me bijna doet kotsen. Het lijkt alsof hij mijn wervels telt. Dan voel ik onverwacht snel een prik.

'Rustig blijven liggen nu, anders kun je verlamd raken.' Verlamd? Wat is dit? Ik voel hoe hij de naald met tape vastplakt op mijn huid. Dan haalt hij een slang van het infuus naar mijn rug. Als hij klaar is, gaat hij rechtop staan en stelt de pomp in. Mijn god, wat gaat hij doen? Hij gaat me vermoorden en invriezen, net zoals hij bij Monika heeft gedaan. Dit is een seriemoordenaar!

'Help! Help!' Ik probeer me los te rukken. Met alle kracht die ik in mijn lijf heb, verzet ik me. Maar langzaam voel ik hoe mijn gespannen spieren hun kracht verliezen. Dit is het. Dit is het moment van doodgaan. Het gevoel trekt weg uit al mijn spieren. Zenuwen worden verdoofd. Ik probeer mijn benen te bewegen, mijn armen, mijn handen. Het gaat niet. Ik raak verlamd. 'Ik kan... Help me... alsjeblieft...'

'Het gaat goed. Dit is de normale reactie van je lichaam op dit medicijn. Je zult geen pijn meer voelen. Nu zal ik je losmaken.' Mijn ledematen bewegen slap mee als hij de touwen losknoopt. 'Kun je wel goed ademen?'

De druk op mijn borst is groot. Zou ik kunnen stikken? Ik schud mijn hoofd. 'Nee. Ik kan... niet goed...'

Hij legt zijn hand op mijn borstkas. Kijkt bezorgd naar me. 'Het lukt wel, Lizzy. Dit is even wennen. Je ademhaling gaat goed. Echt waar.'

Jij vuile klootzak. Ik had je nooit moeten vertrouwen. Nooit met je mee moeten gaan. Ik was zwak en daar maakte jij gebruik van. Psychopaat. Perverse, zieke man.

Hij pakt mijn verlamde schouders beet en draait me terug op mijn rug. Dan pakt hij een tissue uit een doos op het nachtkastje en veegt mijn gezicht droog. Het heeft weinig zin. Tranen blijven komen. Plotseling staat hij op en verlaat de ruimte. Niet gaan! wil ik schreeuwen. Ik ben zo bang. Zo bang. Laat me hier niet achter. Maar de kracht ontbreekt me. In één klap dood was beter geweest. Beter dan deze nachtmerrie. Had ook mijn hersenen uitgeschakeld, verdomme. Dan was ik nu niet in staat geweest om te denken. Me niet bewust van de doodsangst die gaten beukt in mijn hart, mijn hoofd uit elkaar doet spatten, me de adem beneemt. Ik wil een strohalm grijpen naar redding. Schreeuwen om hulp. Help me, help me.

Markus komt de kamer weer binnen. In zijn handen draagt hij een rode emmer. 'Waarom doe je... dit?' Zijn gezicht voor me. Bezorgde ogen. Walgelijk. Ik ben misselijk. Wil niet stikken in mijn eigen kots. De kip die we vanavond hebben gegeten. Laatste avondmaal. O, mijn, god. Ik word niet goed. Slikken, slikken.

'Rustig blijven, Lizzy. Dan heb je er het minste last van. Ssst.' Zalvende ogen. Oprecht medelijden. Rot op. Ik spuug in zijn gezicht. De witte klodder komt op zijn wenkbrauw, wimpers, wang. Valt gedeeltelijk terug op mijn voorhoofd. Hij loopt weg.

Wat heb ik misdaan dat hij me dit aandoet? Heb ik zo slecht geleefd? Zoveel slecht karma gecreëerd? Niet gebeden in de kerk? Mijn ouders waarschuwden me: 'Nu lijkt God misschien ver weg, maar op een dag zul je hem nodig hebben...' Snot uit mijn neus. Zilte smaak. Druppels in mijn oren. Hoe lang kan de tranenstroom aanhouden voor ik uitdroog? Verdor. Versteen.

Met een stapel wit linnengoed verschijnt hij weer naast het bed. Lakens, handdoeken. Snel en efficiënt zijn zijn handelingen. Optillen, opschuiven, draaien en hup, het is gebeurd. Hij schuift een stoel naast me en gaat zitten. Benen gespreid, elle-

bogen op zijn knieën, handen gevouwen. 'Ik ga nu je vraag be-
antwoorden, waarom ik dit allemaal doe. Het is tevens het
laatste, ontbrekende stukje van het verhaal.'

'Ik had naar de tape van Monika geluisterd en was verbijsterd. Ze was bij me weg. Onverwacht, onaangekondigd. Niet één keer heeft ze met mij over haar twijfels gesproken. Dat wil zeggen, niet meer na de begrafenis van mijn vader. Toen had ik het kunnen begrijpen. Maar nu? Ik kon het gewoon niet tot me door laten dringen. Drie dagen leefde ik in een soort apathische toestand. Toen kreeg ik weer hoop. Ze zou bijna landen in onze stad. De fysieke afstand zou afnemen. Ik zou haar kunnen opzoeken, met haar kunnen praten en haar tot een ander inzicht brengen. Ja, zo zou het gaan. Dus op de ochtend dat ze aan zou komen, ging ik naar het vliegveld en wachtte op haar bij de gate.'

O God, help me toch. Kun je luisteren zonder iets te horen? Dicht bij iemand zitten terwijl je afstand bewaart? Aangekeken worden zonder te worden gezien? Ik wil me verstoppen voor zijn woorden. De beelden die hij schept. Dit is niet mijn verhaal, verdomme! Had mij erbuiten gelaten... Mij mijn eenzame leven laten leiden in Amsterdam. Het was echt wel weer goed gekomen met me. Maar nu?

'Ik klampte haar aan toen ze door de schuifdeuren kwam. Ik zei dat ik nog één keer met haar wilde praten. Eén laatste gesprek, thuis. Ze stemde toe. Ik zag de tegenzin op haar gezicht. Ze had duidelijk al afstand van me genomen. Maar ze ging met me mee…

Toen we thuiskwamen heb ik thee voor haar gemaakt. Kamille, dat dronk ze het liefst. Ze zat op de bank als een vreemde en nam beleefd het kopje aan. Het deed me zoveel pijn om dat te zien. Maar ik kon me niet verliezen in zelfmedelijden. Ik moest me concentreren op mijn doel: haar ons leven laten zien. Haar overtuigen dat zoiets moois niet zomaar kon worden weggegooid. Haar mijn liefde laten voelen.'

Liefde? Liefde?! Bezitsdrang zul je bedoelen. Geobsedeerdheid. 'Ik had het goed voorbereid. Ik had foto's van ons in een boekje geplakt en er teksten bij geschreven. De cd met onze lievelingsmuziek zat al in de stereo. Ik hoefde alleen nog maar op play te drukken. En in mijn zak brandde de ring waarmee ik haar ten huwelijk wilde vragen. Ik had altijd geweigerd om voor de kerk te trouwen, maar nu was ik bereid om alles te doen. Achteraf denk ik dat ik nogal overdreef. Dat mijn kleffe pogingen misschien zelfs averechts hebben gewerkt. Maar op dat moment zag ik geen andere oplossing.'

Wat een sentimenteel gelul! Ik sluit mijn ogen.

'Het gesprek begon moeizaam. Ze gaf toe dat ze haar twijfels niet met me gedeeld had en dat ik daarmee geen eerlijke kans had gekregen. Maar volgens haar ging dat nou eenmaal zo. Het was de afstand die nodig was geweest om de beslissing te nemen. Ik gaf haar het fotoboekje. Ze weigerde erin te kijken. Ik gaf haar het doosje met de ringen. Ook dat wilde ze niet openmaken. Ik vroeg haar of er iemand anders was. Was ze misschien verliefd geworden op een ander? Nee, was haar antwoord. Zwijgend zaten we tegenover elkaar. Ze vroeg of ze mocht gaan. Ik knikte. Toen stond ze op met de mededeling dat ze het boek van haar oom alvast wilde meenemen. "Jouw oom? Het is net zo goed mijn oom," antwoordde ik. Ik weet niet precies waarom ik het zei. Misschien om nog iets van een reactie bij haar los te krijgen. Nou, dat gebeurde ook. Maar niet de reactie waar ik op gehoopt had. Ze begon ineens te schreeuwen. Dat ik een hypocriete leugenaar was, dat ik nooit van haar gehouden had, alleen van mezelf. Ze verachtte me. Schaamde zich voor mij. In plaats van het over me heen te laten komen, of het te weerleggen, werd ik woedend. Ook ik schreeuwde verwijten. Ergernissen die ik jaren had ingehouden. We kregen de eerste heftige ruzie sinds we bij elkaar waren. Eindelijk, zou ik bijna willen zeggen. Met alle boosheid, verdriet en frustratie die we in ons hadden, scholden we elkaar de huid vol. Maaiend met haar armen kwam ze op me af en ze begon me te slaan. Ik drukte haar armen tegen haar rug, zodat ze niks kon doen. Toen begon ze te huilen. Snikkend zei ze dat ze van me hield, maar dat het niet anders kon. Ik nam haar in mijn armen, zei dat het wél anders kon. Met haar hoofd op mijn schouder schudde ze nee. Ze maakte zich van me los en draaide zich om. Toen pakte ze haar tas...'

Ik wil mijn ogen niet openen, maar doe het toch. Markus kijkt voor zich uit. Ik durf niet te luisteren naar de woorden die gaan komen.

'Ze zou echt weggaan. Ze liep langs me naar de deur. Ik weet niet wat me bezielde, maar ik pakte haar bij haar arm. Ze probeerde zich los te trekken, maar ik trok haar nog steviger naar me toe. Ik zag angst in haar ogen. Toen gaf ik het op en duwde haar bot weg. Door deze onverwachte beweging verloor ze haar evenwicht en viel. Met haar hoofd viel ze op de punt van de glazen salontafel...'

Dood. Het ademen gaat zo zwaar. Zal mijn hart het begeven? Liever dat dan vermoord te worden door hem.

'Ik heb de keten niet kunnen doorbreken, Lizzy. Mijn opa was een moordenaar, mijn vader was een moordenaar en nu ben ook ik een moordenaar. Het was een ongeluk, maar ik ben de schuldige. Ik had degene van wie ik het meest hield vermoord.'

Ik kan hem niet meer aanzien. Zijn tragiek. Zijn getergdheid. Had mij hier godverdomme buiten gehouden. Ik heb niks gedaan. Ik heb niemand vermoord. Niemand pijn gedaan. Waarom ik? Waarom?

'Ik bleef roerloos naast haar lichaam zitten. Ik weet niet hoe lang. Toen belden ze van mijn werk waar ik bleef. Het was maandagmiddag. Ik zei dat ik nogal van slag was. Monika was niet teruggekomen uit Londen. De leugen rolde zo uit mijn mond. Vanaf dat moment begon mijn zogenaamde zoektocht. Het leek alsof ik zo zelf ook kon blijven geloven dat ze terug zou komen. Ik zocht via internet, plaatste advertenties in kranten en hing zelfgemaakte posters met haar foto op. Terwijl ik in een café zo'n poster voor het raam plakte, keek de eigenaar me verbaasd aan. "Die vrouw stond twee weken geleden nog in de krant," zei hij. Hij begon te zoeken tussen zijn oud papier en kwam met een *Bild* tevoorschijn. Die krant met jouw foto. Ik schudde mijn hoofd. Nee, dat was ze niet. Ik vroeg of ik de krant toch even mee mocht nemen. Toen kwam jij in mijn leven, Lizzy.'

Ik huil. Ik was een held voor één dag. En dat wordt nu mijn ondergang.

'Ik kwam steeds meer over je te weten. Ik heb niks gedaan waarvan ik dacht dat het niet goed voor je was, Lizzy. Je vriend zou vroeg of laat toch bij je zijn weggegaan. Op je werk werd je ondergewaardeerd. Ik heb alleen de perfecte omstandigheden geschapen voor een ontmoeting tussen ons.'

Ik zie hoe hij met zijn hand langs mijn arm strijkt, maar ik voel het niet.

'Ik wist dat je naar het congres in Londen zou gaan. Ik zorgde ervoor dat ik in hetzelfde vliegtuig zat, op de terugvlucht naar Amsterdam. Het was heel gemakkelijk om jouw koffer mee te nemen van de band. De volgende dag heb ik je eigen koffer met Monika's spullen erin bij jou laten bezorgen. De rest weet je.'

'Laat me gaan, Markus.'

'Ik kan je niet laten gaan. Je bent zelf naar me toe gekomen.'

Nog even is hij gebleven. Toen stond hij op. Het was al laat, zei hij, en morgen moest hij werken. Ik hoefde me geen zorgen te maken over de medicatie. Die was volkomen veilig en werd gebruikt bij patiënten die een zware operatie moesten ondergaan. Hij kwam met een glas water naar me toe, waaruit een rietje stak. Zorgzaam stopte hij het in mijn mond om me te laten drinken. De druppels die ik knoeide ving hij op met een tissue. Daarna pakte hij een injectienaald, brak een ampul, en zoog de naald vol met de vloeistof. Een licht slaapmiddel volgens hem, zodat ik goed zou kunnen uitrusten. Ik vroeg hem om het niet te doen. Beter de controle bewaren dan nog meer middelen die me verdoofden. Maar de naald zat al in mijn arm. Toen wond hij de wekker op die op het nachtkastje stond, legde het dekbed over me heen en wenste me welterusten. Geen aanraking, geen kus. Hijgend smeekte ik hem te blijven. Ik was bang. Wilde niet de nacht alleen in deze kamer doorbrengen. Maar hij zei dat het niet anders kon. Morgen tegen vieren zou hij terugkomen. Tot die tijd moest ik proberen te slapen. Hij knipte het lampje op het bureau aan en deed het grote licht uit. Voor hij de deur uitliep, draaide hij zich naar me om. Hij zei dat hij lang had nagedacht over de verschillende methoden, maar dat dit echt de beste was. Toen liep hij de deur uit.

Opgesloten in mijn eigen lichaam. Niet in staat te bewegen. De deur naar de gang is open. Ik kan gillen. Net zolang tot iemand me hoort en de politie belt. 'Help!' Zwak stemgeluid uit mijn droge keel. De kracht ontbreekt. Ik begin te zweven. Niet doen! Erbij blijven. Ik moet vechten tegen de slaap. Mijn zware oogleden openhouden. Zal ik nog leven morgenochtend? Of zal de verdoving die mijn nek in druppelt ook mijn hart verlammen? De wekker tikt de seconden weg. In de verte hoor ik een sirene. Een politiewagen op weg naar redding. Voor wie? Niet voor mij. Ik sterf hier... elk moment... kan de lamp doven... kan het monotone gezoem mijn gedachten overnemen... Ik wil niet. Moet blijven proberen. Adem lichte... lucht... één, twee... morgen ga ik weg... hier... naar... huis...

Paniek bij het ontwaken. Waar ben ik? Was dit geen droom? Geen nachtmerrie van het gruwelijkste soort? Ik wil opstaan. Alleen mijn hoofd reageert op mijn impuls, de rest is dood. Alleen mijn kop, zonder romp, benen, armen. 'Help...' Te weinig decibellen. 'Help!' Iets harder. 'Aarh!' Een kraai op zijn retour. Zielig en zwak. Ik kijk om me heen. Is er iets wat ik kan doen om mezelf te redden? De slang uit mijn nek trekken. Ik schud met mijn hoofd van links naar rechts. Mijn gevoel moet terugkeren. Nog heftiger sla ik mijn hoofd heen en weer. Het lukt niet. Uitgeput raak ik. Ik kan niet diep genoeg ademhalen. Met het beetje zuurstof uit het topje van mijn longen moet ik zien te overleven. Verlamd. Verworden tot slechts een hoofd. Vol ongewenste gedachten, beelden, tranen, snot. Hoge krassen, moet lijken op huilen. Piepende angst. God, laat me hieruit komen. Als U bestaat, toon Uw mildheid, vergeef me mijn zonden, schenk mij gratie. Bevrijd mij. Ik zal voortaan bidden tot het eelt op mijn knieën staat, mijn vingers krom groeien van mijn ineengevouwen handen. Nooit meer twijfelen, zal ik, aan Uw bestaan. Mijn andere wang toekeren en niet meer klagen. Mijn ondankbaarheid jegens het leven zal ik voorgoed verbannen. Goedheid zal ik zien in ieder mens. Ja zelfs in Markus, mijn meest gehate vijand. Ook hem zal ik vergeven. Geloof me. Ik ben een kind van God. Een kind van God.

Paniek gaat en komt in golven. Ze zwengelt mijn hartslag aan tot een galopperend ritme. De snelheid stijgt. Zo hard kan het niet rennen. Dan slaat het over de kop en valt. De pijn op mijn borst neemt de angst over. Heb ik een hartaanval? Is dit het? De dood die zijn intrede doet. Mijn uitgebluste hart dat langzaam stopt. Tot de laatste slag... Stilte... Stilte... O nee, ik hoor het weer! Het is opgestaan en heeft zijn snelle tred hervonden. De galop gaat over in snel gedraaf. Rustig maar. Rustig. Uitgeput slentert hij voort. Langzamer, steeds langzamer. Blijven ademen. IJle lucht. Mijn hart komt tot bedaren. Het graast kalm op een groene weide. Wind in mijn manen. Zonlicht op mijn huid. De aarde stopt met draaien. Maar dan neemt het denken het weer over. De realisatie waar ik ben. Ik bereken kansen, kijk om me heen naar alle onmogelijke opties. Kijk nog een keer. Mijn verlamming is een feit. Ik bedenk wat er zou kunnen gebeuren. Gevild en in stukjes gesneden. Opgesloten voor meerdere jaren. Uitgehongerd tot ik ga hallucineren en langzaam sterf. Nee, ik wil niet. Ik moet ontsnappen uit dit dode lichaam. De paniek komt weer op. Mijn hart begint opnieuw met zijn wedloop.

Ik draai mijn hoofd naar het zachte getik. Het is elf uur.

Uren, dagen, maanden gaan voorbij terwijl de wereld hier stilstaat. Ik denk aan thuis, de boerderij van mijn ouders.

Mocht ik mijn leven opnieuw beginnen, dan zou ik willen reizen. Ik zou kinderen willen baren en ze willen leren over de natuur.

Klein, klein meisje, waar ben je toch gebleven?

Heb je het in je broek gedaan? Dat is toch om het even.

Laat je mooie lach eens zien en je witte tanden.

De bloemen op je jurk, je schoongewassen handen.
Dan mag je weer gaan spelen. Rollen in de wei.
De strootjes in je haren, de steken in je zij.
Hollen, hollen, hollen, tot het einde van het land.
En dan je laten vallen, in het zijdezachte zand.
Meisje, meisje, meisje. Kom jij van de stad?
Is daar ook een vijver voor je blote gat?
Grazen daar ook koeien, zingt een kippenkoor?
Of heb je enkel stenen, waar dienen die toch voor?
Gebouwen van beton, beletten daar de zon.
Om op jouw mooie snoet te dansen met zijn gloed.
Kom maar uit die huizen, die zijn toch veel te hoog.
Wees niet bang voor regen, vanbinnen blijf je droog.

Wat is dat voor lucht? Zou ik het zijn? Een volle luier. Nee, dat ruikt anders. Staat er iets op het vuur dat langzaam de kamer vult met gif? Zal ik langzaam smelten en eindig ik in vloeibaarheid? Mijn lijf, mijn ledematen, en ten slotte ook mijn hoofd, zullen oplossen. In sijpelend nat.

Ik schrik wakker van de voordeur. Sluit meteen mijn ogen weer als ik zijn stem hoor. 'Lizzy, ik ben het?' Mijn belager is terug. Zijn voetstappen komen dichterbij. 'Slaap je?'

'Nee.' Ik voel zijn ademhaling op mijn gezicht. Ruik frisse menthol. Ik sla zonder het te willen mijn ogen op.

'Gaat het?' Zijn bezorgde blik. Het groen van zijn ogen. Zoals de velden waarop ik heb gelopen. Toen het nog kon.

'Markus… alsjeblieft. Bevrijd me.' Ik wil niet huilen. Tranen over mijn wangen. Alsof de stroom nooit tot stilstand is gekomen. Zijn herhaling van handelingen. Een tissue pakken. Mijn wangen ermee deppen. Checken van het infuus. En dan? Mijn luier verschonen? Ongecontroleerde snikken ontsnappen uit mijn keel.

'Ssst rustig, rustig maar.'

'Waarom doe je mij dit aan?'

'Alles wat ik tegen je zou zeggen, zou je interpreteren als iets negatiefs. Dat snap ik. Je ziet mij als een geestelijk gestoorde. Wat zou zo iemand jou kunnen vertellen?'

'Als je om me geeft… laat me dan vrij. Ik zal bij je blijven, dat beloof ik.'

'We weten allebei dat dat niet zo is. Je haat me nu. Als ik je nu laat gaan, zal er nooit meer iets goeds van komen.'

'Iets goeds... welk goeds zou hier ooit van kunnen komen?'

'Vertrouw me.'

'Nee...'

'Het geeft niet.' Hij bukt zich om iets uit zijn tas te pakken. Een nieuwe dikke spuit. De andere spuit koppelt hij af.

'Niet doen, alsjeblieft. Bind me liever vast, maar dit... dit gun je niemand.'

'Als je echt liever vastgebonden wilt worden zal ik dat doen. Maar nu nog niet. Over een paar dagen.'

'Doe het nu. Ik smeek het je.'

'Het kan echt niet.' Hij legt de volle spuit in de pomp. Negeert mijn smeekbeden. Controleert het apparaat. Drukt op wat knopjes. Buigt zich dan opnieuw over zijn tas.

'Markus, Markus, er gaat iets niet goed hier. Die lucht. Het stinkt.'

Hij komt verbaasd omhoog. 'Dat kan niet.'

'Jawel, het stinkt hier echt. Volgens mij komt het uit de huiskamer.'

'Ik ga zo kijken. Eerst even dit afmaken.' Hij pakt een zak met vloeistof en hangt hem op.

'Wat is dat?'

'Je eten en drinken.' In mijn pols drukt hij een naald, zet hem vast met tape en maakt de slang van het infuus eraan vast.

'Waarom?'

'Komt zo.' Hij loopt de kamer uit. Twee keer zestig plus één keer vierenveertig seconden, tel ik. Dan loopt hij de slaapkamer weer in. In zijn handen de rode emmer, en een luier...

'Je had gelijk, het stinkt daar inderdaad. Ik wist niet dat het zo snel ging. Misschien omdat de zon erop staat...'

'Het gas?'

'Nee. Maak je geen zorgen, ik zal het in een vuilniszak doen en meenemen. Zo, en nou, eh... moet ik je even verschonen.'

'Niet doen. Echt niet. Markus, alsjeblieft. Dit is te vernederend.' Liever nog rot ik weg in mijn eigen vuil dan door hem te worden verschoond.

'Ik weet het, maar er zit niks anders op. Hoe denk jij dat mensen dat doen die bedlegerig zijn? Een echtpaar van wie de man zich niet meer naar het toilet kan begeven, omdat de kanker hem heeft opgevreten. Dat is ook vernederend. Tegelijkertijd is het liefde.'

Nee! Ik wil er niet meer naar luisteren. Ik knijp mijn ogen stijf dicht. Alsof ik daarmee ook mijn oren en neus dicht zou knijpen. Maar zo werkt dat niet. Ik ruik mijn eigen ontlasting. Het verdrijft de nare lucht uit de kamer. Vult de ruimte met een nog naardere lucht.

Als hij klaar is, zegt hij nonchalant: 'Mooi, dat is gebeurd. Je zult er minder last van hebben met het vloeibare voedsel dat je nu krijgt. Dat is in elk geval een voordeel.' Ik draai mijn hoofd naar de muur.

Hij was een tijd weg uit de kamer. Door mijn afwijzing? Negeerde hij me bewust? Ik weet het niet. Gaat hij me mishandelen? Mijn geest breken door me steeds een beetje hoop te geven, om die vervolgens weer te ontnemen? Nu staat hij naast me en vraagt hoe het gaat. Of ik nog iets nodig heb. Zegt dat ik me geen zorgen hoef te maken. Over twee dagen krijg ik weer gevoel in mijn ledematen. Vanaf dat moment zal alles beter gaan, volgens hem. Het begin is het moeilijkst. Dat geldt voor wel meer dingen. Morgenavond is hij weer terug. Hij heeft tapes voor me opgenomen, zodat ik me niet hoef te vervelen. Geluidsopnamen over de grote Duitse filosofen, afgewisseld met muziek. Om me niet alleen maar te vermoeien met zware kost. Hij glimlacht erbij. Dan loopt hij weg. Ik hou hem tegen met mijn stem.

'Markus? Jij raakt me niet aan. Verkracht me niet. Doet me geen fysieke pijn. Behandelt me zorgzaam... Een sadist zou het anders aanpakken...'

Hij kijkt me niet-begrijpend aan. 'Ik ben ook geen sadist.'

'Leg dan eens uit waarom ik Monika moest vinden in de vrieskist? Als dat geen sadisme is...'

Hij komt naar me toe gelopen. Schuift de stoel dichterbij en gaat zitten.

'Om de schok die alles uit balans zou brengen. Om te zorgen voor het absolute dieptepunt tussen ons.'

Ik zie haar weer liggen. IJsprinses. Gesloten ogen. Witte damp die als wolken uit haar mond leek te komen. Ze moet het zo koud hebben. Zo koud.

'Van daaruit zouden we opnieuw kunnen beginnen met opbouwen. Zonder geheimen.'

'Wie zegt dat je de waarheid hebt gesproken? Misschien heb je haar bewust om zeep geholpen.'

'Dat is niet zo. Alles wat je weet is waar. Maar zeg nou zelf, ben ik degene die je daar op dit moment van zal overtuigen?'

'Je had me kunnen laten gaan nadat ik haar had gevonden. Je kunt me nu nog laten gaan. Ik zal er met niemand over praten.'

'Als wij elkaar spontaan hadden ontmoet, was er een vonk overgesprongen. Precies zoals dat nu is gebeurd. Het gevoel tussen ons klopt. De aantrekkingskracht. Dat is heel bijzonder. Verliefd word je niet elke dag. En die klik, die positieve spanning kun je niet veinzen. Jaren had ik je in de waan kunnen laten dat ik de zielige echtgenoot was, in de steek gelaten door zijn vrouw. Jij zou me hebben geloofd en zijn meegegaan in mijn rol. Maar ik geloof inmiddels niet meer dat dat een goede basis is voor een relatie. Eerlijkheid is de basis, vertrouwen. Dus had ik iets beters bedacht.'

'Noem het iets beters. Ik noem het ziek.'

We kijken elkaar aan. Cipier en gevangene. Machtige en machteloze. Hij houdt van me, ik zie het in zijn ogen. Ik haat hem. 'Als jij mij niet kunt overtuigen, als dit gevoel van verachting niet stopt, dan is er toch niks te winnen? Of wel?'

'Nee, dan niet. Maar dat zal niet gebeuren.'

'Je bent een arrogante klootzak. Erger dan mijn ex. Gestoorder ook.'

'Geloof wat je wilt geloven.'

'Oké, jij bent ervan overtuigd dat dit gaat veranderen. Hoe? Door me te hersenspoelen? Me afhankelijk te maken van iedere broodkruimel die je uitdeelt?'

'Nee, gewoon door geduld te hebben. Tijd.'

'En al die tijd hou je me gegijzeld?'

'Zolang het nodig is.'

'Maar als het nou niet gebeurt, laat je me dan gaan?'

'Misschien.'

'Of dood je me?'

'Nee.'

'Waarom niet? Ik kan je aangeven bij de politie. Ik kan je kapotmaken.'

'Omdat ik geen moordenaar ben. Daarom niet.' Hij staat op. 'Ik ga nu.'

'Blijf.'

'Nee, ik ga. Maar ik kom terug. Morgenavond. O, dat zou ik nog bijna vergeten. De tape. Probeer er maar naar te luisteren, dan gaat de tijd wat sneller. Om twaalf uur vannacht stopt het. Het licht gaat dan ook uit. Ik heb er een timer opgezet. Om negen uur morgenochtend begint het weer. Hou je sterk.'

Uit de kleine box die hij naast het bed heeft gezet klinkt een belegen mannenstem. Een geschiedkundige die een lezing geeft over de grote Duitse filosofen. Ik vang slechts flarden op. 'De angst is de moeder van de moraal.' Nietzsche. 'Al wat dichtbij is wordt ver.' Goethe.

Mijn denken neemt het van de spreker over. Gedachten over de situatie waarin ik mij bevind. Messcherpe steken in mijn hart van doodsangst en berouw. Golven van misselijkheid. Minuten zonder zuivere lucht. Althans, zo lijkt het. Dan weer die stem. 'Als men vermoedt dat iemand liegt, moet men doen alsof men hem gelooft: hij wordt dan driest, liegt nog harder en is ontmaskerd.' Schopenhauer.

'Mocht het gaan regenen,' zo vertelde ooit een vriendin, 'doe dan alsof het niet regent. De regen zal er niet minder door vallen, maar jij wordt minder nat.' Een filosofe in de dop. Alles is perceptie. Ik zou me kunnen voorstellen dat ik hier niet in gevangenschap lig. Dat ik niet gedrogeerd ben en gewoon in staat ben me te bewegen. Dat ik een dag vrij genomen heb, om te luisteren naar zinnen die decennia geleden opgetekend zijn. 'Vrij ben ik, wanneer ik bij mezelf ben,' schreef Hegel, stierf in 1831 in deze stad, Berlijn. Ik ben vrij. Ik ben vrij. Geen acties meer om te ondernemen. Puur liggen en loslaten. Niets hoeft nog. Geen wil meer. Dadendrang is verleden tijd. Geen afwas op het aanrecht. Geen deadlines voor mijn baas. Geen berichten in mijn mailbox. Zweven op woorden van ooit en nooit en altijd.

Brahms, Bach, Beethoven, Wagner. Wil Markus me een spoedcursus 'Deutsche Kultur' geven? Om me om te turnen tot zijn Monika. Zijn muze. Mijn noodlot.

Rustig in- en uitademen. Schaapjes tellen. Wat was mijn leven waard tot nu toe? Wat heb ik bereikt? Heb ik mensen geholpen? Heb ik principes gehandhaafd? Een lans gebroken voor iemand? Een benefietavond georganiseerd, voor mijn part? Het antwoord is nee, nee en nog eens nee. Ik ben het niet waard om te leven. Om de lucht die we allemaal moeten delen in te ademen. Anderen zijn dat wel, ik niet. Een sneue conclusie over een sneu leven. En maar afgeven op de rest. Op mensen die gestreden hebben. Misschien niet altijd voor de goede zaak, maar in elk geval gestreden. Omdat ze ergens in geloofden. Ik geloof in niks. Helaas...

Adem in, adem uit. Hoe lang nog? Muziek, woorden, minuten.

Hé, waarom stopt het geluid? Waarom gaat het licht uit? Twaalf uur. Ik ben bang in het donker. Maar als ik weer zou gillen, zou niemand me horen. Als ik het weer in mijn broek zou doen, zou niemand het zien.

Ik ben bang.

'Lizzy, zeg het maar.' De geschiedenisleraar staat voor me en kijkt me vragend aan.

'Sorry, ik heb de vraag niet gehoord.'

'Opletten! Anders blijf je eeuwig zo dom...' Hilariteit in de klas. 'Stilte! Wie was er verantwoordelijk voor de Duitse propaganda in de oorlog?'

'Ik eh...' Heeft hij het hier eerder over gehad? Ik kan me er niks van herinneren. 'Eh...'

'Wij wachten, Lizzy.'

Noem een naam. Wie dan ook, maakt niet uit dat het fout is. 'Hitler. Ik bedoel Himmler.'

Het lachsalvo dat uitbreekt kleurt mijn wangen vuurrood. Mijn leraar komt dichterbij. Met zijn gezicht vlak bij het mijne spreekt hij de woorden langzaam uit: 'Jij weet niks!'

'Ik... Was het Goebbels?' Het lukt me niet meer het gelach te overstemmen. Niemand kan me horen. 'Goebbels!' probeer ik nog een keer. Het is zinloos. Waarom lachen ze? Zo gek ben ik toch niet? Zo dom... Ik kijk vragend naar Babette, mijn vriendinnetje naast me. 'Wat is er?'

Ze hinnikt als een paard. Verslikt zich bijna in de woorden die ze probeert uit te spreken. 'Jij... jij... bent...' Haar bovenlijf schiet voorover, in een lachkramp. Ze wijst naar me en giert het uit. Ik kijk naar beneden, en dan zie ik het. Ik heb niks aan. Ben volledig naakt. Of nee, wacht eens, ik heb een onderbroek aan. Ik ga staan. Ik wil zeggen dat het heel onaardig is wat ze doen. Vernederend. En waarom ook? Ik heb tenslotte een slip aan. Niemand die mijn eerste schaamharen kan zien. Net ontdekt, vanochtend toen ik opstond. Ik schrok me rot. Ik ging plassen en zag ineens stugge haren tussen mijn benen. 'Mama,' riep ik, 'kom eens kijken.' Ik duwde de wc-deur open. Maar in plaats van mijn moeder kwamen mijn broers een voor een kijken. 'Ze heeft schaamhaar!' riep de een na de ander bij het zien van mijn kruis. 'We moeten de kerk bellen.'

'De kerk?'

'Ja, daar mag je nu niet meer zingen.'

Ik begreep er niks van.

'Lizzy naar de conrector, nu meteen!'

'Wat? Waarom?' Ik sta nog steeds in mijn onderbroek voor de lachende klas. Maar nu kan ik de geluiden die uit de monden komen niet meer horen. Het is een stomme film geworden. Alleen het volume van mijn leraar staat nog aan. 'Je weet best dat je dit niet kunt maken.'

'Wat?' Ik kijk nog een keer naar beneden. Mijn naakte borsten. Net geboren. Maar dat is toch normaal? Dat ik borsten heb gekregen, bedoel ik. Mooie borsten. Zacht. Rond. Zou hij dat bedoelen? Te – hoe noemen ze dat – aanstootgevend misschien? Ik verberg ze onder mijn handen. Mijn leraar is rood aangelopen. Zijn slappe piemel hangt uit zijn broek. 'Naar de conrector!' Hij beeft van woede. Ik ben bang dat hij een hartaanval zal krijgen. Zul je zien dat ik de schuld krijg. Ik kan maar beter weggaan. Ik passeer hem op weg naar de uitgang. Dan hoor ik achter mijn rug zijn oorverdovende geluid: 'En waag het niet om nog ooit met een luier de klas binnen te komen!'

Een luier? Mijn handen grijpen naar mijn billen. Het is

waar, ik draag een luier! Een luier... wie heeft dat gedaan? Dan weet ik het weer. Het was mama. Zij heeft me hem aangereikt toen ik van de wc kwam. O. O! Ik zal haar dit nooit vergeven. Ik ga weg, mama, en kom nooit meer terug. Nooit meer. Hoor je me? Nooit!

Mijn ogen schieten open. Ik kijk in de duisternis. Waar ben ik? Nee! Ik wil terug naar mijn onderbewustzijn. Niet dit moeten meemaken bij mijn volle verstand. De nachtmerries uit mijn kindertijd waren niets in vergelijking met de horrordroom waarin ik nu wakker word.

'Help... mij...' Zelfs mijn eigen stem is beangstigend. Ik knijp mijn ogen dicht. Wil dit niet beleven. Niet zien. Maar mijn snelle hartslagen en mijn hyperventilerende adem laten me niet los. Zij vechten voor me in dit donkere hol. Kon ik mezelf maar neerknuppelen. Tegen de rand van het nachtkastje slaan. Mijn paniekerige hoofd gaat van links naar rechts. Alleen deze verdomde kop nog kapotmaken. De rest van mij is al dood. Dood. Help me dan toch... Kan iemand, iemand... Ik moet kokhalzen. Mijn keel blijft droog. Er komt niks uit. Nog een keer braken.

Ik ben zo alleen. Alleen...

Het licht springt aan. De geluidsband begint weer te lopen. Ik leef blijkbaar nog. Godzijdank, deze gruwelijke nacht is voorbij. Nog maar tien, elf, twaalf uur en dan is Markus weer hier. Waarom zo laat? Waar is hij mee bezig? Zijn er andere dingen belangrijker dan mij hier gevangen houden? Hij is de enige die me kan redden. Hoewel... Als hij niet komt – opgepakt omdat ze hem doorhadden, zich doodgereden op de snelweg, mij vergeten omdat hij alweer bezig is met zijn volgende slachtoffer – zal langzaam de verdoving uitwerken. Kan ik weer opstaan en zonder enige moeite de kamer uit lopen. Ik kijk opzij naar het infuus. De zak met voeding is al leeg. Zou dat normaal zijn? De spuit in de pomp is nog voor de helft gevuld. Maar dan ben ik uitgedroogd tegen de tijd dat ik me weer kan bewegen. De angst slaat me weer om het hart. Kalm blijven, energie sparen. Sstt...

Blijkbaar zijn we rond. Dit is hetzelfde stuk over de filosofen als gisteren. Ik bereid me voor op een tentamen. Hoop dat ik nu wel in staat ben het te onthouden. Het in mijn hoofd te stampen. Ik kan me geen onvoldoende permitteren. Kant werd gezien als de eerste Duitse idealist, maar stierf als maagd. Schopenhauer had wel seks maar schreef het boek *Er is geen vrouw die deugt*. Nietzsche geloofde in de übermensch.

Heidegger was lid van de NSDAP. 'De zin van het leven zit in het bestaan zelf.' Daar heb ik op dit moment weinig aan. Dan Ernst Bloch. Hij schreef *Das Prinzip Hoffnung*. Een soort encyclopedie van dromen en wensen.

Als ik een nieuwe kans zou krijgen op een vrij leven, dan zou ik het volgende wensen: een croissantje met boter en jam. Een fiets om heel hard op te trappen. Een kind om iets aan te leren. Een achtertuin met een boom. Aardbeien om op te zuigen. Een dorpsfeest met een band. Dansende voeten. Een streling over mijn hoofd. De geur van bloemen in mei. Zonlicht op mijn gezicht. Wind in mijn haar. Vriendelijke woorden aan een onbekende. Van een onbekende. Een glas rode wijn. Een glimlach. Glimlach. Iemand een pakje aanreiken. Mooi geschreven zinnen. Verhalen. Een kinderhand in de mijne. Benen in de branding. Een zachte sofa. Muziek.

Ik moet al minstens een etmaal alleen zijn. De band is weer opnieuw begonnen. Marx, Hegel, Kant. Het lijkt of ik zweef in oneindige herhaling. In luchtledigheid. Woorden, intonaties, melodieën vloeien in elkaar over. De wereld is rond en rond en rond. Eenheid in alles. In mij. De haren op mijn hoofd, het kussen waarop ik lig, het witte plafond waar ik naar kijk, de zuurstof die ik adem.

Morgen zal ik dood zijn. Morgen zal ik eeuwig zijn.

Later. Ik huil.

De band stopt, het licht gaat uit. Twaalf uur.

Met open ogen staar ik in het donker. Ik zweef in een groot zwart gat. Hoe lang nog?

Hoe zou doodgaan voelen?

Ik hoor de voordeur opengaan. Voetstappen die dichterbij komen. Het licht gaat aan.

Bezweet en licht hijgend komt Markus naast me staan.

'Gaat het?'

Ik knik.

'Heb je iets nodig?' Hij trekt zijn jas uit. Zet de leren dokter-stas op de grond en schuift de stoel dichterbij.

'Ik... wil naar... huis.'

'Je bént thuis.'

Ik schud mijn hoofd. Negeer het vocht in mijn ogen dat zijn hoofd onscherp maakt. Als gel. Als regen. Een glazen bol. Voorspel me mijn toekomst. Laat het me zien. Alles beter dan deze onzekerheid.

'Monika...'

'Nee!'

'Ik wil je wat vragen.' Hij schraapt zijn keel. Wrijft over zijn nek. 'De daad van Sylvi om Jürgen te redden, was dat een heldendaad volgens jou?'

Wat is dit voor een vraag? Nog altijd de vergelding van zijn eigen afkomst? 'Maak me los...'

'Je bent niet vastgebonden. Was het een heldendaad?'

'Ja...'

'Wist jij dat, op het moment dat er iemand ontsnapte in Sachsenhausen, de andere gevangenen appel moesten staan?

Urenlang, net zolang tot er mensen bezweken? Er werden maten van de ontsnapte gevangene ondervraagd en opgehangen. Ze werden gekneveld en gemarteld. Gemiddeld stierven er na elke ontsnapping of ontsnappingspoging acht anderen. Dat wist iedereen.'

'Sylvi wist dat niet.'

'Volgens het boek niet, nee. Maar in de werkelijkheid? En Jürgen wist het in elk geval wél.'

'In situaties die je leven bedreigen... kies je altijd voor jezelf.'

'Klopt. Behalve als het om je kinderen gaat. Dus je hebt gelijk, je kunt Jürgen en Sylvi niets verwijten. Maar een heldendaad... Andere vraag. Was het opgeven van Sylvi's identiteit een opoffering?'

Waar wil hij naartoe? Wat is dit? 'Nee, ze koos er zelf voor.'

'Maar ze zou nooit meer terug kunnen keren naar haar oude leven. Niet naar haar familie en haar vroegere vrienden.'

'Haar nieuwe leven was haar meer waard.'

'Bedoel je dat ze gelukkiger was, ondanks het gemis?'

'Ja.'

De opgedroogde tranen kriebelen op mijn wang. Even lijkt het of ik een prikkel voel in mijn tenen. Zou de verdoving uitgewerkt raken? Mijn blik gaat naar het infuus met het verdovingsmiddel. De spuit lijkt leeg. Zou dit het einde zijn van mijn marteling? Mag ik straks opstaan en weglopen? Hij kijkt me zwijgend aan. Mijn ademhaling versnelt bij het idee dat er misschien een einde komt aan dit alles. Weer schieten mijn ogen naar het infuus. Heb ik het wel goed gezien? Ja, de spuit is helemaal ingedrukt. Markus staat op. Hij heeft mijn blik gevolgd en zet het apparaat uit. Hij bukt om iets uit zijn tas te pakken. Geen nieuwe verdoving, alsjeblieft, laat het geen nieuwe verdoving zijn. Als hij omhoogkomt, heeft hij een flesje en watten in zijn handen. Wat is dit? Word ik nu vermoord?

'Je hoeft niet bang te zijn. Dit is ontsmettingsmiddel.' Hij haalt eerst de naald uit mijn pols, ontsmet de plek en buigt zich dan over me heen om de naald uit mijn nek te halen. Ik ruik zijn zweet. Niet vermengd met kruidige eau de toilette of frisse deodorant. Puur zweet.

'Zo, je zult nu binnen een paar uur weer gevoel krijgen in je lichaam.'

'Dank je wel. Dank je...' Ongecontroleerd begin ik te snikken. Markus aait zacht over mijn hoofd.

'Stil maar. Het komt goed. Dat zei ik je toch?'

'Mag ik... mag ik gaan?'

Hij trekt zijn hand weg van mijn hoofd en gaat weer zitten. 'Ja, je mag weg.'

'O god, dank je. Dank je, Markus...'

'Toch stel ik voor om nog even te blijven.'

'Waarom?'

'Nou, omdat...' Hij bukt zich weer naar zijn tas. Ik kan niet zien wat hij pakt. Dan begint hij weer te praten. Zijn toon is vermoeid, lijzig, alsof hij maar net de kracht kan opbrengen om de woorden uit te spreken. 'Er is iets veranderd voor jou. Het heeft nogal veel consequenties voor je verdere leven. Uiteindelijk zal het je gelukkiger maken, maar nu zul je het als een enorme schok ervaren.'

'Wat? Wat is er gebeurd?'

Dan houdt hij iets omhoog. Het is een krant, die hij langzaam voor mijn gezicht schuift. Ik ben verbaasd als ik zie dat het de krant is van mijn eigen stad. Hoe komt hij daaraan? Wat moet ik hiermee? Ik lees de koppen. 'Stadsdeelraad-Zuid beknot'. 'Zonnig voorjaarsweer zorgt voor strandfiles'. 'Brand aan de Jacob van Lennepkade'. Hé, dat is mijn straat. Dat zou toch niet over mijn huis gaan...

'Ik kan het niet lezen...' Hij brengt de krant dichter bij mijn ogen. Dan worden de zwartgedrukte woorden helder.

'De hevige brand werd vermoedelijk veroorzaakt door een gasontploffing. De brandweer is zeker drie uur bezig geweest met blussen. Het vuur ontstond op de bovenste verdieping. In de woning werd het stoffelijk overschot gevonden van een vrouw. Het gaat hier om de bewoonster van het pand, de 34-jarige E. Koster.'

Elizabeth Koster is dood. Ik ben dood.

Verantwoording

De passages over het dagelijks leven in concentratiekamp Sachsenhausen, zijn onder andere gebaseerd op beschrijvingen uit *Mein Leben im KZ Sachsenhausen (1936-1942)* van Harry Naujoks. Voor het verhaal over de ontsnapping van Jürgen heb ik me laten inspireren door een van de weinige gelukte ontsnappingspogingen uit het kamp. Het ging om een gevangene die op dat moment als schilder werkzaam was in een van de ss-woningen op het terrein. Hij verstopte zich in de dakgoot van het huis, bleef daar drie dagen liggen, en wandelde toen in een ss-uniform het kamp uit.

Zonder de volgende mensen en instanties had ik dit boek nooit kunnen maken. Ik dank:

Elsa den Boer en de rest van Ambo|Anthos, Sabine Mutsaers, Corinna Ziegler van het Literarisches Colloquium Berlin, de medewerkers van gedenkplaats en museum Sachsenhausen, de bibliothecaresse van het Huis van de Wannseeconferentie, Friso de Zeeuw van het DDR Museum, William van Houtum van het Spaarne Ziekenhuis, Berlijndeskundige Antoine Verbij, fotograaf Mike Bloem, alle oppassen voor de kinderen en natuurlijk Kaja Wolffers.